D1189592

# LA SYMPHONIE PASTORALE

# LA SYMPHONIE PASTORALE

## *by André Gide*

Edited by Justin O'Brien
*Columbia University*
and M. Shackleton
*Magdalen College, Oxford*

D. C. HEATH AND COMPANY
Lexington, Massachusetts

# CONTENTS

# INTRODUCTION

It is often impossible to understand an author's works fully without some knowledge of his life and personal background, and these factors have rarely been so important as in the case of André Gide. The great majority of his works, though having their own independent existence and literary value, bear a definite relationship to his life, forming a commentary on it and giving expression to intimate problems and conflicts. Gide himself ensured that his works would be studied in this light, even during his lifetime, by publishing an exceptionally frank and voluminous body of autobiographical material and self-criticism. Considerable portions of his *Journal intime* from 1889 to 1949 have been published in book form, and the story of Gide's life up to 1895, when, in his twenty-sixth year, he married his cousin Madeleine Rondeaux, is told in detail in the volume of *mémoires* entitled *Si le Grain ne meurt*. . . .

Again, in studying Gide's life, we must go further back than is generally necessary. The part played by heredity, or even early environment, in the formation of a given personality is always difficult to assess, and it is hazardous to draw definite conclusions; with Gide, however, these factors cannot be left out of account, for he himself consistently traced the many-sidedness of his nature, and the diversity of his inclinations and interests, to his being " né d'un croisement de races, assis à un carrefour de religions." His father, who taught Law in the University of Paris, was

born at Uzès, not far from Nîmes. His mother's
family came from Normandy. Between the severe
beauty of the Bas-Languedoc, with its sunbaked rocks
and parched olives, and the softer outlines of Normandy, mellowed by cool woods and luxuriant grasses,
ide, who had known both from early childhood,
never wished to choose and could not have chosen.
Instead, the contrasts of temperament and character
implied by these landscapes—the *finesse* and spontaneity of the South, the more reflective *bon sens* of the
North—contributed to the complexity of Gide's nature
and of his work as a writer.

A similar opposition underlay his religious background. Gide's parents were both Protestants, and it
was as a Protestant that he was brought up ; but his
mother's family had been predominantly Catholic ;
and the Catholic influence was still felt in Gide's youth,
for his uncle Henri Rondeaux, brought up as a Protestant, had reverted to Catholicism when still a young
man. These conflicting influences left a permanent
mark on Gide. Though he soon reacted against the
rigour of his upbringing, he remained deeply interested
in religious questions. His Protestant background
seems to underlie his concern for sincerity, his passion
for self-justification, and to a large extent his interest
in moral questions ; in the strictly religious sphere his
consistent repudiation of dogma and the independence
of his thought are Protestant traits. Yet he was often
haunted by what he regarded as the temptation to
become a Catholic. Although he recognized no ortho-
doxy, the Catholic Church seemed to have special
claims. " Je ne puis reconnaître d'autre orthodoxie
que l'orthodoxie romaine ... ' Orthodoxie protes-
tante,' ces mots n'ont pour moi aucun sens." The
Catholic influence was continued throughout much of

Gide's life, for many of his literary friends either were or became Catholics. A notable exception was the Protestant novelist Jean Schlumberger, to whom *La Symphonie pastorale* is dedicated.

Whether or not these contradictory influences of race and religion may legitimately be traced to heredity in the strict sense, it is important that Gide was extremely conscious of them, and deliberately cultivated them in the effort to enrich his personality. He believed that the *état de dialogue* which they produced was of the greatest value, and that " l'étincelle de la vie ne saurait jaillir qu'entre deux pôles contraires." In this effort to achieve the harmony and balance of opposing forces we may see—as Gide certainly saw— an essential manifestation of the spirit of France, within whose borders are reconciled divergent climates and temperaments, and to the making of whose history and literature the most varied influences have contributed.

Gide was an only child, and the inevitable loneliness of his early years was accentuated by his father's death less than eleven years after André's birth in November 1869. His mother, imbued with high moral principles and a stern sense of duty, fostered to the best of her ability the development of his taste in music, painting, and literature, and endeavoured to give him a sound moral training. But in so doing she imposed many prohibitions and restrictions which, producing in her son an increasing exasperation and preparing the way for later revolt, added to the conflicts of his adult life. Most of Gide's childhood pursuits were solitary ; even his schooling at the École Alsacienne in Paris and the *lycée* at Montpellier was constantly interrupted for reasons of health or temperament and had to be supplemented by periods of private tuition. It is, therefore, hardly surprising that he should have developed into one of the most introspective, and one of the most independent, of all writers. Yet from the very fact of his solitude, and the early development of a feeling that he was fundamentally different from other children—he was convinced of his literary vocation from an early age—there arose a yearning for the society and sympathy of others. This may well explain a number of Gide's characteristics as a writer : his dislike of dogmatic statement and self-assertion ; the anxiety and despondency he sometimes felt in the absence of a ' public ' such as had existed in the seventeenth century, or in Goethe's Weimar ; the importance he always attached, in spite of his independent attitude, to the opinions of other people ; perhaps even, in some measure, his eventual adherence to the social ideal of Communism.

But the most important circumstance of Gide's early years was his growing love for his cousin Madeleine, whose quiet, serious, and religious disposition served as a constant link with the past long after he had revolted against the moral restrictions imposed during his childhood and youth. It is certain that, but for the influence of her lifelong companionship, his works would have been unrecognizably different.

Towards the end of his years at school Gide conceived the idea of writing his first book, *Les Cahiers d'André Walter*, which was published in 1891. During the writing of this work he was still dominated by his Protestant background, with its tendency to stifle spontaneity and to narrow the scope of his activities ; but he was beginning to acquire—partly through reading the Greek classics—a haunting consciousness of the rich diversity of possibilities that life offers, and the resultant tension found expression in the *Cahiers*.

At the time Gide imagined his book not as the first of a series, but as final, the quintessence of all he had thought or dreamed. And, indeed, *Les Cahiers d'André Walter*—into which he had transposed lengthy extracts from the diary he was already keeping—gives expression, through the hero André Walter, to the many religious, moral, and literary problems by which Gide was beset. Above all it is an indirect profession of his love for his cousin, represented under the name of Emmanuèle (a name by which he also refers to her in *Si le Grain ne meurt* . . . ; in the *Journal* he uses, by way of a pun, the abbreviation " Em."). Gide had hoped that this work would prove so compelling that his cousin could not fail to accept the proposal of marriage which he had resolved to make shortly after publication ; and he anticipated considerable literary success. In both these expectations he was disappointed.

The main result was a change in Gide's attitude towards the public. Ceasing to expect immediate acclamation, he persuaded himself that the quality of a writer's admirers is more important than their number. Henceforth he would strive to endow his works with qualities which would give them enduring value, and, disdaining compliments that might seem in any way insincere, would confidently await ultimate recognition. This proud attitude, whilst it appealed to one side of his nature, was the cause of much discouragement during the next twenty years, and may well have reduced his output ; but it certainly contributed to the artistic value of his writings.

For the moment, however, Gide had no more than a general idea of his life's work. He entered upon what he calls in his *Mémoires* " la période la plus confuse de ma vie . . . Période de dissipation, d'inquiétude."

His school-friend Pierre Louÿs, himself an author, introduced him to the literary circles which revolved round Heredia and Mallarmé. Heredia was a representative of the Parnassian school of poetry which had reached its peak some twenty years earlier, and which, in reaction against Romantic lyricism, had stood for impersonality of approach and perfection of form; but he had a gift for the evocative use of words which links him with Mallarmé and the Symbolist school. During the two or three years which followed the publication of *Les Cahiers*—full of real promise despite unshapely execution—Gide was still imbued with a certain mysticism, and it was the Symbolist school that he found the more congenial. Though the Symbolists varied among themselves in their practice, they had a broad community of outlook. All of them were in reaction not only against the objective though often picturesque poetry of the Parnasse, but also against the Naturalism of the novels written by Zola and his contemporaries, whose aim was to present life, and particularly social life, as it really was. But, in reacting against the Parnasse and Naturalism, the Symbolists went to the other extreme, enclosing themselves in a rarefied atmosphere of poetic *rêverie*, refusing to acknowledge any relationship between art and the social life of the community, and contenting themselves with an inevitably restricted public. Intimate emotions were the main field of their poetic endeavour; the external world seemed in itself crude and uninteresting. An ideal beauty existed in the poet's mind, and the phenomena of reality served merely as symbols for it, or as a source of imagery for poetic self-expression. Metre ceased to be considered essential in poetry; the Symbolists aspired instead to give their verses a musical quality which would enchant the reader and evoke in his mind the private dream-world of the poet.

The literary environment into which Gide was introduced by Pierre Louÿs was thus something of a closed circle, but Gide did not fully realize this at the time. He felt unsure of himself; the Symbolist tendency to retreat from the real world appealed to him and seemed to offer a possible mode of self-expression. He was particularly influenced by the Symbolist emphasis on musicality—even though, preferring Chopin or Schumann, he never shared the general enthusiasm for Wagner—and for some years he cultivated a rich and melodious style. Above all, he was attracted by the high artistic ideal pursued by the Symbolists, and especially by the example of Mallarmé, for whom only poetry counted, and who sacrificed all else to it. Throughout his career Gide retained a high sense of duty towards his vocation, and consistently refused to turn his art to utilitarian ends. Nevertheless, the works Gide produced even in this period cannot be classed as wholly Symbolist. In them, side by side with the Symbolist *rêve*, we find more than a trace of the Protestant ideal of *moral* purity, and above all an increasing awareness, still theoretical perhaps, of the diversity and inexhaustible interest of life. In particular *Le Voyage d'Urien* and *La Tentative amoureuse* (1893) show that Gide was seeking a goal which would take him far beyond the confines of Symbolism.

In October 1893 Gide set out for Tunisia and Algeria with his friend Paul Laurens, a young painter. From the start his health showed signs of breaking down—tuberculosis was suspected—and it continued to deteriorate as the winter wore on. But with the spring came transformation. Under the influence of the elemental Algerian landscape and the hot sun, the bright colours and the fresh scents of spring, Gide entered upon a period of convalescence that was more than a mere recovery from illness : it seemed to him like a rebirth. The closed worlds of Protestantism and Symbolism seemed suddenly to burst open. For the first time he awoke to the wonder that lay outside them, to the delights of sounds, perfumes, and colours. All the doubts and perplexities of the past seemed to fade away before the splendour he experienced through the senses.

He returned to Paris with " un secret de ressuscité," a new awareness and a new outlook which met with little comprehension among his friends and relatives. To complete his convalescence he spent the last three months of 1894 at La Brévine in the Swiss Jura ; this is the village, and the locality, in which is set the story of *La Symphonie pastorale* which he was to write nearly twenty-five years later. There he completed *Paludes*, the first of his writings to show true maturity. This little work, sparkling despite the bitterness of its inspiration, marks a definite break with the Symbolist school, and gives expression, in ironic terms, to the disillusion that Gide had experienced on finding that his new ' message ' fell on deaf ears. Early in 1895 he returned to North Africa and for many years continued to make regular visits, renewing the vital inspiration of his first stay at Biskra.

It was in 1895 that Gide's mother died and that he married his cousin. Thus was intensified and perpetuated an influence which, conflicting in many ways with the new values he had discovered in Africa, was to prove decisive for his literary production.

From 1894 to 1897 Gide gradually composed *Les Nourritures terrestres*, which embodies, in persuasive and lyrical prose, the outlook he had brought back from Africa. It presents a large variety of poetic evocations, mainly of Algeria, but also of the " pluvieuse terre de Normandie." At the same time it enjoins the youthful reader, who is addressed as Nathanaël, to adopt a fresh point of view. He is to live in the present, committing himself neither to the past nor to the future, which offer only second-hand living ; to remain *disponible*, ready to follow the call of whatever may seem right for him to do ; to maintain in himself a state of *ferveur*, of wonder and gratitude for the glory of the world and his participation in it, and a *disposition à l'accueil* which will allow access to the countless influences and stimuli waiting to enrich his being. Perhaps the essence of the work is contained in the words : " Ne *demeure* jamais, Nathanaël." It is a doctrine of liberation and independence, accompanied by a conviction that each individual has a destiny of his own which it is his duty to seek and accomplish. *Les Nourritures terrestres*, " livre d'une folie très méditée " as Gide says, deliberately goes to excess. It expresses only one pole of Gide's outlook. But it is of the greatest importance, for hardly any of Gide's works from this point on can be fully understood except in the light of this key-work. In it Gide, in violent reaction against his past environment, sets out a demand for complete freedom from every kind of restriction and obligation. But that is only the starting-point, and there are clear indications, even in the work itself, that Gide was well aware of the dangers and difficulties of this outlook. His subsequent works make these more explicit and elaborate the attractions of other ideals ; it is as though Gide had set himself, for his life's work, to criticize this initial excess and put it into final perspective. No sooner had Gide completed *Les Nourritures terrestres*

than he was busy with *Saül*, written, he says, as an
' antidote ' to its predecessor. *Saül* is an impressive
and well-constructed drama based on the narrative of
I Samuel, in which the hero King Saul is led to moral
disintegration and practical disaster by an excessive
*disposition à l'accueil*.

We have suggested that the problem of freedom
dominates Gide's work and gives it unity, but
this simplification, true so far as it goes, must not
blind us to the wealth of interests that Gide cultivated,
many of which are only related to the problem of
freedom by a very tenuous thread. In the literary
field, at least, Gide never disobeyed his own injunc-
tion : " Ne *demeure* jamais." His interests widen and
deepen as time goes on. Each work contributes something new and individual, depending on what precedes
yet often in reaction against it, or bringing out new
aspects of earlier preoccupations. An example of this
is the problem of *l'acte gratuit*, which is closely related
to the outlook of *Les Nourritures terrestres* and yet has
a quite independent interest. This problem—that of
the possibility and permissibility of perfectly free
action, unrelated to external influences such as
personal interest, habit, or morality, and based on the
unrestricted *accueil* of ideas—is enunciated in *Le
Prométhée mal enchaîné* (1899), criticized in *Le Roi
Candaule* (1901), and taken up again on a larger scale
in *Les Caves du Vatican* (1914), a complicated work in
which the hero Lafcadio accepts no law but that of
his own being. Gide's interest in this problem led
him far from the self-indulgence of *Les Nourritures
terrestres*, filling him with a deep concern to understand the workings of the mind and the motives that
underlie human conduct.

Meanwhile with *L'Immoraliste* (1902) and *La Porte*

*étroite* (1909), short, simple, and intimate novels which Gide calls *récits*, he gave expression to the conflict that existed for him between Normandy and Algeria, between home and travel, between the religious background represented by his wife and the anti-moral tendency of *Les Nourritures terrestres*.

*L'Immoraliste* is the story of a young man, Michel, who, like Gide, travels in North Africa and there finds a new creed and a new life, which he feels all the more intensely as it accompanies a convalescence. Unlike Gide, Michel had already married; his wife Marceline tends him with devotion and, to the best of her ability, nurses him back to health. When his wife in her turn falls ill Michel tries to cure her by travel. He is too absorbed in his new personality to see that such drastic remedies, suitable for him, are disastrous to her; in the end she succumbs and dies.

During the years up to the outbreak of war in 1914, Gide became increasingly despondent, partly because his work received little recognition until about 1910, and he found the writing of *La Porte étroite* a heavy task. In this work, which is full of reminiscence of Gide's own childhood, the heroine Alissa sacrifices her claims to marry her cousin Jérôme, by whom the story is told, in favour of those of her sister Juliette; when Juliette marries elsewhere Alissa is hurt (or spurred on) by the rejection of her sacrifice, and takes refuge in piety. Stifling her love for Jérôme, she deliberately narrows the scope of her life, macerating her personality beyond endurance, and finally dies in an agony of doubt, perhaps of despair.

*La Porte étroite*, though published seven years later and reflecting an almost opposite inspiration, is closely related to *L'Immoraliste*. Gide tells us that " les deux sujets ont grandi concurremment dans mon esprit,

l'excès de l'un trouvant dans l'excès de l'autre une per-
mission secrète, et tous deux se maintenant en équilibre." If *L'Immoraliste* is the tragedy of one who
yields too easily to the call of liberty and independence,
the complementary story of *La Porte étroite* points to
the futility of excessive renunciation. Despite this,
the reader of these two *récits* cannot fail to notice Gide's
sympathy for Michel and his love for Alissa. The
truth is that Gide does not reach a conclusion ; merely,
his mind strives constantly to correct and balance the
incompatible leanings of his heart.

The effort to achieve this balance is clearly shown in
*Le Retour de l'Enfant prodigue* (1907), a short and
artistically perfect sequence of prose dialogues in
which, Gide says, " je tâche à mettre en dialogue les
réticences et les élans de mon esprit " : on the one
hand travel, nomadism, and independence, on the
other home, a settled existence, and responsibility to
others. Particularly during these years between 1900
and 1914 he was constantly undertaking long journeys,
often solitary, and equally constantly returning to his
wife at Cuverville, in Normandy. Of his life at
Cuverville many friends have spoken with admiration,
and indeed the *Journal* itself makes clear the extent to
which he entered into the life of his home and surroundings, taking a keen interest in horticulture and
botany, unstintingly devoting his many gifts to the
entertainment and amusement of his friends and young
relatives, never losing sight of " le mystique orient de
ma vie," his devotion to his wife. But wherever he
was, his heart, eager for change and fearful of stag-
nation, ultimately called him elsewhere. His travels
were a reaction against his home ; *Les Caves du
Vatican*, carefree and almost irresponsible, com-
pensated for the deep seriousness of *La Porte étroite*.

The war, restricting movement and imposing inescapable moral obligations, abruptly altered Gide's way of life. He threw himself whole-heartedly into relief work and other practical activities, and at first found little time for writing. As the war dragged on his thoughts gradually inclined towards religion. Some of the fruits of his meditations are recorded in *Numquid et Tu . . .?*, a series of notes written between 1916 and 1919, and first published under Gide's name in 1926.[1] In these notes Gide applies the experience he had gained since his early youth to a new interpretation of the Gospels, which are seen, not as a manual of rules and restrictions, but as proclaiming a richer and freer life. Such an approach has its dangers : it is only too easy to support an interpretation which happens to suit one's inclinations and to close one's eyes unconsciously to all that gainsays it. It was partly to bring these dangers to light that *La Symphonie pastorale* was written in 1918. From a different point of view, this work gives fresh expression to the personal conflicts Gide had known since the time of *Les Nourritures terrestres* and his marriage in 1895.

After the war, however, the character of Gide's work changed considerably. The cessation of hostilities brought about a general relaxation of tension, and, particularly among the younger generation, a reaction against all forms of restriction. Those of Gide's works which seemed to proclaim independence, liberty, and irresponsibility—notably *Les Caves du Vatican*—were now widely read and discussed. His ' influence ' quickly became a subject of controversy, and, from some quarters, of active hostility. Gide himself reaffirmed his independent position, still more

[1] Subsequently incorporated in the *Journal* 1889-1939 (Bibliothèque de la Pléiade, Gallimard).

boldly and on a wider front, in a course of lectures on Dostoevsky delivered in 1922, and, as a gesture of sincerity and self-justification, published his *Mémoires* in 1926. Meanwhile he had been working on *Les Faux-Monnayeurs*, completed in 1925. Just as the post-war years had brought an expansion of Gide's influence and of his concern to explain his position in greater detail, so this elaborate work, the first he called a *roman*, represents an expansion from the artistic point of view. In place of the simple and intimate *récits*, of which *La Symphonie pastorale* had been the last, we find a complicated and ingeniously constructed novel that covers a wide field of experience, and at the same time attempts to show the relation between fiction and reality.

Almost immediately after completing this work, Gide set out on a semi-official mission to French Equatorial Africa. He went with a light heart, looking forward above all to new experiences in a new setting; but he returned the following year full of concern and indignation in face of the many abuses he had found there, particularly the inhuman exploitation of certain sections of the native populations.

Gide had hitherto taken comparatively little interest in politics or in social (as distinct from moral and psychological) questions, although his *Souvenirs de la Cour d'Assises* (1914) had testified to his deep interest in the criminal cases he had had to consider as a juryman. In the years that followed his return from Central Africa the social problem haunted him increasingly. His report to the responsible authorities elicited a promise of early reforms in the colonial territories he had visited. The facts on which his criticisms were based, together with many delightful pictures of native and wild life, are presented in

*Voyage au Congo* and *Le Retour du Tchad*, which embody the diary of his travels. About this time, too, Gide became more deeply concerned with the possible social applications of his interest in psychology, particularly in the field of crime. The *Souvenirs de la Cour d'Assises* had been confined to his own experience in court ; now he gave wide publicity to a considerable range of exceptional cases, mostly compiled from newspaper reports. Some of these he published in book form, others in the *Nouvelle Revue Française*, for the foundation of which in 1909 he had been largely responsible. His main purpose in drawing attention to these *faits-divers* was to encourage research into cases that seemed to lie outside the scope of traditional psychology, and to suggest the need for new principles and methods in the administration of justice.

Gradually Gide's social outlook widened. In 1929 he published *L'École des Femmes* and *Robert* which, with the later *Geneviève*, form a trilogy of *récits* in which the main interest is the social problem of feminine emancipation, studied in two generations. Gide's next work *Œdipe* (1931) marks a further step forward. This play, in which the Œdipus legend is treated with great skill in a very original manner, is rich in implications, and it is impossible to ascribe to it any single and exclusive ' meaning.' It is in no sense a propagandist play, but from one point of view it does seem to indicate Gide's growing apprehension that the privileges of the social class to which he belongs are, like Œdipus's power, immoral in their origin and no longer defensible. Whether or not this interpretation is justified, the play suggests strongly the paramount importance of human progress, and the need to make sacrifices in its service. In this same year 1931 Gide announced his adherence to Communism, and, though he never became a member of the Communist Party, he continued for the next five years to lend his support to the Communist struggle for power. This conversion did not mark in Gide a total renunciation of the individual values he had cherished; on the contrary, it seemed to him that Communism, once established, would offer the mass of the people more real freedom and greater opportunity for individual development than were permitted by the social conditions obtaining in capitalist countries.

During this period Gide published *Les nouvelles Nourritures* (1935), a volume composed on similar lines to *Les Nourritures terrestres*. Some sections of this book had been written many years before, but the remainder are characteristic of Gide's new outlook, emphasizing the importance of the future rather than of the present and proclaiming his faith in human perfectibility. The writing of *Geneviève* (1936) and *Robert ou l'Intérêt général*, a play which he did not publish until 1949, also occupied Gide during these years of Communist enthusiasm. Both were originally intended as propagandist works, and considerable sections were written with this intention in mind. But neither satisfied the artist in Gide. He destroyed most of what he had written for *Geneviève*, and the *récit* published in 1936 is unencumbered with propaganda, an appropriate sequel to *L'École des Femmes* and *Robert*. As for *Robert ou l'Intérêt général*, originally written as a social satire, Gide subsequently devoted years of laborious effort to removing the tendentious elements, and the play as ultimately published in 1949 was meant to be no more than a *comédie de caractère*. Even during his Communist period, then, Gide could not bring himself to publish creative works intended to further an immediate cause. The requirements of propaganda always proved in the end to be incompatible with his artistic ideal.

It was in 1936 that Gide went to Russia as a member of a small party of Communist sympathizers to be entertained by the Soviet Government. There he saw the reality of Russian Communism and was swiftly disillusioned. Back in France, he wrote *Retour de l'U.R.S.S.* and then *Retouches à mon Retour de l'U.R.S.S.*, in which he recounts his experiences and with increasing severity criticizes what he saw as the betrayal by the U.S.S.R. of the Communist ideal.

Even this disillusionment, followed two years later by his wife's death, did not bring Gide's work to an end. His subsequent publications include a number of valuable pieces of literary criticism, among them an *Anthologie de la Poésie française* (1949), and a new work *Thésée* (1946). This *récit*, more reflective than any of the preceding works, reaffirms Gide's belief in individualism and freedom, but indicates that these must be tempered by a respect for tradition and the maintenance of continuity.

In this final period, which ended with his death on February 19, 1951, Gide seems to have attained not merely balance, but serenity. He did so not through submission to convention, whether religious, moral, or literary, but through personal thought and effort. It is the spirit of independence, integrated by a deep sense of responsibility, that dominates Gide's life and works. His uncompromising attitude was not maintained without cost : he never, for example, became a member of the *Académie française*. It was only in 1947 that he received his first important honours, both of them from abroad—the award of the Nobel Literature Prize, and the conferment by Oxford University of the Honorary Degree of Doctor of Letters. But in

Gide's eyes fame and recognition, though by no means to be despised, always came second to sincerity and the right to think freely.

Gide was often the subject of controversy, but there can be no doubt of his importance; and those who have tried to assess his work dispassionately are generally agreed that he was, at the very least, one of the greatest French writers of his time.

\*     \*     \*     \*     \*

Each of André Gide's works in its time aroused controversy. But *La Symphonie pastorale*, doubtless because of its quite classical perfection, was one of the first to encounter almost unanimous praise. It was also the first of his works to be filmed and, in the not altogether faithful yet highly artistic adaptation directed by Jean Delannoy and starring Michèle Morgan, it extended the author's reputation throughout the world even to a non-reading public.

The fifth of André Gide's ten works of fiction, *La Symphonie pastorale* was chronologically the fourth of those tales or *récits* upon which his reputation so largely rests. When, a few years after this work, Gide brought out the only one of his writings he was willing to call a novel (*Les Faux-Monnayeurs*), he strove for the complexity of life, a contrapuntal composition based on numerous plots, and an indirect manner of presentation in which each of many characters would have his say. But the earlier concise tales are all unilinear narratives of crisis involving but very few characters and related in the first person by one of the principal actors. Hence they prolong the great French tradition of the psychological novel of the individual, which counts such masterpieces as *La Princesse de Clèves* and *Dominique* and approaches the aesthetic of French classical tragedy.

*L'Immoraliste* is an account of past action told entirely by the chief protagonist to a group of friends who may be able to help him. On the very first page he says: "Souffrez que je parle de moi; je vais vous raconter ma vie, simplement, sans modestie et sans orgueil, plus simplement que si je parlais à moi-même." *La Porte étroite* is again a direct narrative of the past made by the principal actor, Jérôme, who begins: "D'autres en auraient pu faire un livre; mais l'histoire que je raconte ici, j'ai mis toute ma force à la vivre et ma vertu s'y est usée. J'écrirai donc très simplement mes souvenirs . . ." But at one point in Jérôme's account he is obliged to describe the most intimate emotions of his beloved, which he could not possibly have known. Hence Gide has him discover her journal after her death and that journal is incorporated verbatim into the novel. Likewise Gérard, urged to tell the story of *Isabelle* exactly as he watched it unfold, begins by apologizing for talking of himself and relating facts in disorder. Finally, *La Symphonie pastorale* is entirely in the form of a journal kept by the principal male character, the Pastor himself.

The use of direct narration and especially of the diary form has obvious advantages and disadvantages. Its appearance in so many of André Gide's works—even in *Les Faux-Monnayeurs* he will have a novelist character commenting on events in his own diary—suggests that the journal is Gide's form *par excellence* and that his imaginative works might almost be considered to be extracted from his own *Journal*. It would be more just to say that the habit of spiritual self-scrutiny contracted during his pious childhood and the fairly regular keeping of his own diary caused him to make his characters indulge in the same practice.

Personal narration of this sort paradoxically offers

the double advantage of directness and indirection. On the one hand, as we read the very words of the man or woman who *lived* the events that hold our attention, we feel strangely close to the participants. On the other hand, that narrator always misses something of the significance, some of the overtones, of his own story; he is simply *too* close to it. Hence we have the exquisite pleasure of discerning more in what he relates than he does himself. Gide excels in using the uninformed narrator and relying effectively on the reader's collaboration. Here, for instance, all the other characters (Amélie, Gertrude, and Jacques) judge the Pastor and, since he is telling the story, he must record those judgments without grasping their significance. But the reader, who is inevitably also judging him, cannot fail to appreciate them. Indeed, just after the beginning of the second notebook, the Pastor notes:

"J'ai rapporté ces conversations non seulement telles qu'elles ont eu lieu, mais encore les ai-je transcrites dans une disposition d'esprit toute pareille; à vrai dire ce n'est qu'en les relisant cette nuit-ci que j'ai compris…"

Now, those two points of view in the narrator are essential to the story. In the earlier *récits* it was possible for each narrator simply to relate the past. Although each of those stories ends in tragedy, the *dénouement* does not shock the narrator into a wholly new point of view. But obviously the Pastor would not and *could* not have recounted his whole story after the final tragedy. Or if he had, he would inevitably have transferred to its beginning the state of mind with which he witnessed the end. Hence Gide here varies the technique, making him begin his notebook in the middle of Gertrude's evolution, recording at the start events that began two and a half years before. On 10 February he makes his first entry and on 30 May, his last. Meanwhile, on

8 May events catch up with his diary and from that point on the Pastor is recording the *present* as it unfolds. This skillful technique gives to the tale an extraordinary mounting intensity which could have been achieved in no other way. And the contrasting tone of the two notebooks derives from the narrator's subtle shift from blind enthusiasm to bitter consciousness. Neither Michel of *L'Immoraliste* nor Jérôme of *La Porte étroite* undergoes such an evolution, for they remain strangely impercipient even at the end.

The chief disadvantage of narration in the first person singular is that it leads to a facile identification of the author with his hero. In order to be successful, the writer has to *become* temporarily his narrator, and he facilitates this transference by lending his narrator some of his own characteristics. Others have been aware, as Gide was most keenly, of this kind of subjective objectivity and the catharsis that can result therefrom, even going so far as to see works of imagination serving to prevent the writer from indulging in the excesses which mark his characters. Doubtless Gide would have agreed with Henri Bergson's remark that "Shakespeare was not Macbeth nor Hamlet nor Othello but he would have been those various characters if circumstances and the consent of his will had brought to a state of eruption what was but an inner urge."

The haunted Michel of *L'Immoraliste* and the pathetically puritanical Alissa of *La Porte étroite* reveal opposite facets of their author. The Pastor of this book with his lamentably good intentions, his sanctimonious hiding behind the Scriptures, and his blind self-deception embodies characteristics with which Gide was familiar. André Gide grew up in the strictest possible religious atmosphere. His entire childhood was marked by his teachers and private tutors, who were either ministers or closely identified with the church. Some of his playmates were the sons of ministers, and the best man at his wedding was a minister and missionary. The moral climate was, therefore, known to him. He had, furthermore, spent the winter of 1894 in the icy Jura mountains at La Brévine, the scene he chose for the novel. All his life he had a passion for teaching—like the Pastor who admits in an unguarded moment that he had promised himself great pleasure from educating his blind charge.

Thus it was possible for André Gide to put himself in the position of the hero of *La Symphonie pastorale*. But had he possessed all of the Pastor's characteristics and no others, he obviously could not have written the Pastor's story. In a letter of 1945 to Dr. Mischa H. Fayer (reproduced in the latter's *Gide, Freedom and Dostoevsky*), Gide said of the Pastor: "A travers lui plutôt encore que de chercher à exprimer ma propre pensée, j'ai peint l'écueil où pouvait mener ma propre doctrine, lorsque cette éthique n'est plus contrôlée sévèrement par un esprit critique sans cesse en éveil et peu indulgent ou complaisant envers soi-même. L'esprit critique, indispensable, fait ici (chez le pasteur) complètement défaut." Consequently, around this figure who personifies the unorthodox faith Gide had just voiced in his *Numquid et Tu . . .?* but who utterly lacks the critical spirit that saved Gide, he constructs a parable of blindness in which the spiritual blindness is much more dangerous than the physical blindness. Subtly yet insistently Gide establishes a parallel between Gertrude's actual blindness, her state of innocence, and the Gospels on the one hand, and, on the other, lucidity, the state of sin, and the Epistles of Saint Paul.

In opposition to the Pastor, whose naive words cover, and yet reveal, a ferment of unconfessed feelings, Gide

has set the blind Gertrude, who is the essence of directness. A similar contrast exists between what Charles
Du Bos called the muddy confusion of the story's
psychological basis and the limpidity of its form. For
it would be difficult to find a more crystalline purity
in the art of story-telling, where every slightest touch
prepares the final tragedy and nothing distracts our
attention. Landscapes and interiors, for instance—the
deep, dazzlingly pure snow of the mountains, the strict,
over-crowded parsonage, and the austerity of the village
church—all reflect the emotions. Gide never forgets
that he is telling a snow-bound story of abruptly thaw-
ing passions. It is doubtless this economy and the
impression of understatement it inevitably makes—the
essence of true classicism to André Gide—that caused
Albert Thibaudet to see in this work less a symphony
than a sonata and to class it with the finest of chamber
music.

It is nonetheless appropriate that Beethoven's beautiful symphony with its emphasis on the glory of nature
and of its awakening should have provided the title
for Gide's novel. Between 1910 and 1918, while he
was elaborating the story in his mind before sitting
down to write it, he called it simply *L'Aveugle*. If this
had remained the definitive title one might not know
what gender to give it in translation. No, *La Symphonie pastorale* is more apt, clearly stressing as it does
the chief character. And is he not truly a Pastor in
both senses of the word?

# PREMIER CAHIER

La neige qui n'a pas cessé de tomber depuis trois jours, bloque les routes. Je n'ai pu me rendre à R... où j'ai coutume depuis quinze ans de célébrer le culte * deux fois par mois. Ce matin trente fidèles seulement se sont rassemblés dans la chapelle de La Brévine.*

Je profiterai des loisirs que me vaut cette claustration forcée,* pour revenir en arrière et raconter comment je fus amené à m'occuper de Gertrude.

J'ai projeté d'écrire ici tout ce qui concerne la formation et le développement de cette âme pieuse, qu'il me semble que je n'ai fait sortir de la nuit que pour l'adoration et l'amour. Béni soit le Seigneur pour m'avoir confié cette tâche.

Il y a deux ans et six mois, comme je remontais * de la Chaux-de-Fonds,* une fillette que je ne connaissais point vint me chercher en toute hâte pour m'emmener à sept kilomètres de là, auprès d'une pauvre vieille qui se mourait.* Le cheval n'était pas dételé ; je fis monter l'enfant dans la voiture, après m'être muni d'une lanterne, car je pensai ne pas pouvoir être de retour avant la nuit.

Je croyais connaître admirablement tous les entours* de la commune * ; mais passé la ferme * de la Saudraie, l'enfant me fit prendre une route où jusqu'alors je ne m'étais jamais aventuré. Je reconnus pourtant, à deux kilomètres de là, sur la gauche, un petit lac

mystérieux où jeune homme j'avais été * quelquefois
patiner. Depuis quinze ans je ne l'avais plus revu,
car aucun devoir pastoral * ne m'appelle de ce côté ;
je n'aurais plus su dire où il * était et j'avais à ce point
cessé d'y penser qu'il me sembla, lorsque tout à coup,
dans l'enchantement rose et doré du soir, je le reconnus, ne l'avoir d'abord vu qu'en rêve.

La route suivait le cours d'eau qui s'en * échappait,
coupant l'extrémité de la forêt, puis longeant une tourbière. Certainement je n'étais jamais venu là.

Le soleil se couchait et nous marchions depuis longtemps dans l'ombre, lorsque enfin ma jeune guide
m'indiqua du doigt, à flanc de coteau, une chaumière
qu'on eût pu croire inhabitée, sans un mince filet de
fumée qui s'en échappait, bleuissant dans l'ombre, puis
blondissant * dans l'or du ciel. J'attachai le cheval à
un pommier voisin, puis rejoignis l'enfant dans la
pièce obscure où la vieille venait de mourir.

La gravité du paysage, le silence et la solennité de
l'heure * m'avaient transi.* Une femme encore jeune
était à genoux près du lit. L'enfant, que j'avais prise
pour la petite-fille de la défunte, mais qui n'était que
sa servante, alluma une chandelle fumeuse, puis se tint
immobile au pied du lit. Durant la longue route,
j'avais essayé d'engager la conversation, mais n'avais
pu tirer d'elle quatre paroles.

La femme agenouillée se releva. Ce n'était pas une
parente ainsi que je supposais d'abord, mais simplement une voisine, une amie, que la servante avait été
chercher lorsqu'elle vit s'affaiblir sa maîtresse, et qui
s'offrit pour veiller le corps. La vieille, me dit-elle,
s'était éteinte sans souffrance. Nous convînmes ensemble des dispositions à prendre pour l'inhumation *
et la cérémonie funèbre. Comme souvent déjà, dans
ce pays * perdu, il me fallait tout décider. J'étais

quelque peu gêné, je l'avoue, de laisser cette maison, si pauvre que fût son apparence, à la seule garde de cette voisine et de cette servante enfant. Toutefois, il ne paraissait guère probable qu'il y eût dans un recoin de cette misérable demeure, quelque trésor caché... Et qu'y pouvais-je faire ? Je demandai néanmoins si la vieille ne laissait aucun héritier.

La voisine prit alors la chandelle, qu'elle dirigea vers un coin du foyer, et je pus distinguer, accroupi dans l'âtre, un être incertain, qui paraissait endormi ; l'épaisse masse de ses cheveux cachait presque complètement son visage.

— Cette fille aveugle ; une nièce, à ce que dit la servante ; c'est à quoi la famille se réduit, paraît-il. Il faudra la mettre à l'hospice ; sinon je ne sais pas ce qu'elle pourra devenir.

Je m'offusquai d'entendre ainsi décider de son sort devant elle, soucieux du chagrin que ces brutales * paroles pourraient lui causer.

— Ne la réveillez pas, dis-je doucement, pour inviter la voisine, tout au moins, à baisser la voix.

— Oh ! je ne pense pas qu'elle dorme ; mais c'est une idiote ; elle ne parle pas et ne comprend rien à ce qu'on dit. Depuis ce matin que je suis dans la pièce, elle n'a pour ainsi dire pas bougé. J'ai d'abord cru qu'elle était sourde ; la servante prétend que non, mais que simplement la vieille, sourde elle-même, ne lui adressait jamais la parole, non plus qu'à quiconque,* n'ouvrant plus la bouche depuis longtemps, que pour boire ou manger.

— Quel âge a-t-elle ?

— Une quinzaine d'années, je suppose : au reste je n'en sais pas plus long que vous...

Il ne me vint pas aussitôt à l'esprit de prendre soin moi-même de cette pauvre abandonnée ; mais après que j'eus prié — ou plus exactement pendant la prière que je fis, entre la voisine et la petite servante, toutes deux agenouillées au chevet du lit, agenouillé moi-même, — il m'apparut soudain que Dieu plaçait sur ma route une sorte d'obligation et que je ne pouvais pas sans quelque lâcheté m'y soustraire. Quand je me relevai, ma décision était prise d'emmener l'enfant le même soir, encore que je ne me fusse pas nettement demandé ce que je ferais d'elle par la suite, ni à qui je la confierais. Je demeurai quelques instants encore à contempler le visage endormi de la vieille, dont la bouche plissée et rentrée semblait tirée comme par les cordons d'une bourse d'avare, instruite à * ne rien laisser échapper. Puis me retournant du côté de l'aveugle, je fis part à la voisine de mon intention.

— Mieux vaut qu'elle ne soit point là demain, quand on viendra lever le corps, dit-elle. Et ce fut tout.

Bien des choses se feraient facilement, sans les chimériques objections que parfois les hommes se plaisent à inventer. Dès l'enfance, combien de fois sommes-nous empêchés de faire ceci ou cela que nous voudrions faire, simplement parce que nous entendons répéter autour de nous : il ne pourra pas le faire...

L'aveugle s'est laissé emmener comme une masse involontaire.* Les traits de son visage étaient réguliers, assez beaux, mais parfaitement inexpressifs. J'avais pris une couverture sur la paillasse où elle devait reposer d'ordinaire * dans un coin de la pièce, au-dessous d'un escalier intérieur qui menait au grenier.

La voisine s'était montrée complaisante et m'avait aidé à l'envelopper soigneusement, car la nuit très claire était fraîche ; et après avoir allumé la lanterne du cabriolet, j'étais reparti, emmenant blotti contre moi ce paquet * de chair sans âme et dont je ne percevais la vie que par la communication d'une ténébreuse chaleur. Tout le long de la route, je pensais : dort-elle ? et de quel sommeil noir... Et en quoi la veille * diffère-t-elle ici du sommeil ? Hôtesse * de ce corps opaque, une âme attend sans doute, emmurée, que vienne * la toucher enfin quelque rayon de votre * grâce, Seigneur ! Permettrez-vous que mon amour, peut-être, écarte d'elle l'affreuse nuit ?...

J'ai trop souci de la vérité pour taire le fâcheux accueil que je dus essuyer à mon retour au foyer. Ma femme est un jardin de vertus ; et même dans les moments difficiles qu'il nous est arrivé parfois de traverser, je n'ai pu douter un instant de la qualité de son cœur ; mais sa charité naturelle n'aime pas à être surprise. C'est une personne d'ordre qui tient à ne pas aller au delà, non plus qu'à rester en deçà du devoir.* Sa charité même est réglée comme si l'amour était un trésor épuisable. C'est là notre seul point de conteste...

Sa première pensée, lorsqu'elle m'a vu revenir ce soir-là avec la petite, lui échappa dans ce cri :

— De quoi encore est-ce que tu as été te charger ?*

Comme chaque fois qu'il doit y avoir une explication entre nous, j'ai commencé par faire sortir les enfants qui se tenaient là, bouche bée, pleins d'interrogation et de surprise. Ah ! combien cet accueil était loin de celui que j'eusse pu * souhaiter. Seule ma chère petite Charlotte a commencé de danser et de battre les mains quand elle a compris que quelque chose de nouveau, quelque chose de vivant allait sortir de la voiture. Mais les autres, qui sont déjà stylés par la mère, ont vite fait de la refroidir et de lui faire prendre le pas.

Il y eut un moment de grande confusion. Et comme ni ma femme, ni les enfants ne savaient encore qu'ils eussent affaire à une aveugle, ils ne s'expliquaient pas l'attention extrême que je prenais pour guider ses pas. Je fus moi-même tout décontenancé par les bizarres gémissements que commença de pousser la pauvre infirme sitôt que ma main abandonna la sienne, que j'avais tenue durant tout le trajet. Ses cris n'avaient rien d'humain ; on eût dit les jappements plaintifs d'un petit chien. Arrachée pour la première fois au cercle étroit de sensations coutumières qui formaient tout son univers, ses genoux fléchissaient sous elle ; mais lorsque j'avançai vers elle une chaise, elle se laissa crouler à terre, comme quelqu'un qui ne saurait pas s'asseoir ; alors je la menai jusqu'auprès du foyer, et elle reprit un peu de calme lorsqu'elle put s'accroupir, dans la position où je l'avais vue d'abord auprès du foyer de la vieille, accotée au manteau de la cheminée. En voiture déjà elle s'était laissée glisser au bas du siège et avait fait tout le trajet blottie à mes pieds. Ma femme cependant m'aidait, dont * le mouvement le plus naturel est toujours le meilleur ; mais sa raison sans cesse lutte et souvent l'emporte contre * son cœur.

— Qu'est-ce que tu as l'intention de faire de ça ? reprit-elle après que la petite fut installée.

Mon âme frissonna en entendant l'emploi de ce neutre et j'eus peine à maîtriser un mouvement d'indignation. Cependant, encore tout imbu de * ma longue et paisible méditation je me contins, et tourné vers eux tous qui de nouveau faisaient cercle, une main posée sur le front de l'aveugle :

— Je ramène la brebis perdue,* dis-je avec le plus de solennité que je pus.

Mais Amélie n'admet pas qu'il puisse y avoir quoi que ce soit de déraisonnable ou de surraisonnable * dans l'enseignement de Évangile. Je vis qu'elle

allait protester, et c'est alors que je fis un signe à
Jacques et à Sarah qui, habitués à nos petits différends
conjugaux, et du reste peu curieux de leur nature
(souvent même insuffisamment à mon gré *), em-
menèrent les deux petits.   Puis, comme ma femme
restait encore interdite et un peu exaspérée, me
semblait-il, par la présence de l'intruse :

— Tu peux parler devant elle, ajoutai-je ;  la pauvre
enfant ne comprend pas.

Alors Amélie commença de protester que certainement elle n'avait rien à me dire, — ce qui est le prélude
habituel des plus longues explications, — et qu'elle
n'avait qu'à se soumettre comme toujours à ce que je
pouvais inventer de moins pratique et de plus contraire à l'usage et au bon sens.   J'ai déjà écrit que je
n'étais nullement fixé sur ce que je comptais faire de
cette enfant.   Je n'avais pas encore entrevu, ou que *
très vaguement, la possibilité de l'installer à notre
foyer et je puis presque dire que c'est Amélie qui
d'abord m'en suggéra l'idée lorsqu'elle me demanda si
je pensais que nous n'étions pas " déjà assez dans la
maison."   Puis elle déclara que j'allais toujours de
l'avant * sans jamais m'inquiéter de la résistance * de
ceux qui suivent, que pour sa part elle estimait que
cinq enfants suffisaient, que depuis la naissance de
Claude (qui précisément à ce moment, et comme en
entendant son nom, se mit à hurler dans son berceau)
elle en avait " son compte " * et qu'elle se sentait à
bout.

Aux premières phrases de sa sortie,   quelques
paroles du Christ me remontèrent du cœur aux lèvres,
que * je retins pourtant, car il me paraît toujours
malséant d'abriter ma conduite derrière l'autorité du
livre saint.   Mais dès qu'elle argua de sa fatigue * je
demeurai penaud,   car je reconnais qu'il m'est arrivé

plus d'une fois de laisser peser sur ma femme les con-
séquences d'élans inconsidérés de mon zèle. Cependant ces récriminations m'avaient instruit sur mon
devoir ; je suppliai donc très doucement Amélie
d'examiner si à ma place elle n'eût pas agi de même et
s'il lui eût été possible de laisser dans la détresse un
être qui manifestement n'avait plus sur qui * s'appuyer;
j'ajoutai que je ne m'illusionnais point sur la somme de
fatigues nouvelles que le soin de cette hôtesse infirme
ajouterait aux soucis du ménage et que mon regret
était de ne l'y pouvoir plus souvent seconder.* Enfin
je l'apaisai de mon mieux, la suppliant aussi de ne point
faire retomber sur l'innocente un ressentiment que
celle-ci n'avait en rien mérité. Puis je lui fis observer
que Sarah désormais était en âge de l'aider davantage,
Jacques de se passer de ses soins. Bref, Dieu mit en
ma bouche les paroles qu'il fallait pour l'aider à
accepter ce que je m'assure qu'elle eût assumé volontiers si l'événement lui eût laissé le temps de réfléchir
et si je n'eusse point ainsi disposé de sa volonté * par
surprise.

Je croyais la partie * à peu près gagnée, et déjà ma
chère Amélie s'approchait bienveillamment de Gertrude ; mais soudain son irritation * rebondit * de plus
belle * lorsque, ayant pris la lampe pour examiner un
peu l'enfant, elle s'avisa de * son état de saleté indicible.

— Mais c'est une infection,* s'écria-t-elle. Brosse-
toi ; brosse-toi vite. Non, pas ici. Va te secouer
dehors. Ah ! mon Dieu ! les enfants vont en être
couverts. Il n'y a rien au monde que je redoute autant
que la vermine.

Indéniablement la pauvre petite en était peuplée * :
et je ne pus me défendre d'un mouvement de dégoût
en songeant que je l'avais si longuement pressée contre
moi dans la voiture.

Quand je rentrai deux minutes plus tard, après m'être nettoyé de mon mieux, je trouvai ma femme effondrée dans un fauteuil, la tête dans les mains, en proie à une crise de sanglots.

— Je ne pensais pas soumettre ta constance * à une pareille épreuve, lui dis-je tendrement.   Quoi qu'il en soit, ce soir il est tard, et l'on n'y voit pas suffisamment. Je veillerai pour entretenir le feu auprès duquel dormira la petite.   Demain nous lui couperons les cheveux et la laverons comme il faut.   Tu ne commenceras à t'occuper d'elle que quand tu pourras la regarder sans horreur.   Et je la priai de ne point parler de cela aux enfants.

Il était l'heure de souper. Ma protégée, vers laquelle notre vieille Rosalie, tout en nous servant, jetait force regards hostiles, dévora goulûment l'assiette de soupe que je lui tendis.   Le repas fut silencieux.   J'aurais voulu raconter mon aventure, parler aux enfants, les émouvoir en leur faisant comprendre et sentir l'étrangeté d'un dénuement si complet, exciter leur pitié, leur sympathie pour celle que Dieu nous invitait à recueillir ; mais je craignis de raviver l'irritation d'Amélie.   Il semblait que l'ordre eût été donné de passer outre et d'oublier l'événement encore qu'aucun de nous ne pût assurément penser à rien d'autre.

Je fus extrêmement ému quand, plus d'une heure après que tous furent couchés et qu'Amélie m'eut laissé seul dans la pièce, je vis ma petite Charlotte entr'ouvrir la porte, avancer doucement, en chemise et pieds nus, puis se jeter à mon cou et m'étreindre sauvagement en murmurant :

— Je ne t'avais pas bien dit bonsoir.

Puis, tout bas, désignant du bout de son petit index l'aveugle qui reposait innocemment et qu'elle avait eu curiosité * de revoir avant de se laisser aller au sommeil :

— Pourquoi est-ce que je ne l'ai pas embrassée ?

— Tu l'embrasseras demain.   A présent laissons-la. Elle dort, lui dis-je en la raccompagnant jusqu'à la porte.

Puis je revins me rasseoir et travaillai jusqu'au matin, lisant ou préparant mon prochain sermon.

Certainement, pensais-je (il m'en souvient), Charlotte se montre beaucoup plus affectueuse aujourd'hui que ses aînés ; mais chacun d'eux, à cet âge, ne m'a-t-il pas d'abord donné le change * ; mon grand Jacques lui-même, aujourd'hui si distant, si réservé... On les croit tendres, ils sont cajoleurs et câlins.

*27 février.*

La neige est tombée encore abondamment cette nuit. Les enfants sont ravis parce que bientôt, disent-ils, on sera forcé de sortir par les fenêtres.   Le fait est que ce matin la porte est bloquée et que l'on ne peut sortir que par la buanderie.   Hier, je m'étais assuré que le village avait des provisions en suffisance, car nous allons sans doute demeurer quelque temps isolés du reste de l'humanité.   Ce n'est pas le premier hiver que la neige nous bloque, mais je ne me souviens pas d'avoir jamais vu son empêchement si épais.*   J'en profite pour continuer ce récit que je commençai hier.

J'ai dit que je ne m'étais point trop demandé, lorsque j'avais ramené cette infirme, quelle place elle allait pouvoir occuper dans la maison.   Je connaissais le peu de résistance * de ma femme ; je savais la place dont nous pouvions disposer et nos ressources, très limitées.   J'avais agi, comme je le fais toujours,

autant par disposition naturelle que par principes, sans
nullement chercher à calculer la dépense où mon élan
risquait de m'entraîner (ce qui m'a toujours paru
antiévangélique).     Mais autre chose est d'avoir à se
reposer sur Dieu ou * à se décharger sur autrui.     Il
m'apparut bientôt que j'avais déposé sur les bras
d'Amélie une lourde tâche, si lourde que j'en demeurai
d'abord confondu.

Je l'avais aidée de mon mieux à couper les cheveux
de la petite, ce que je voyais bien qu'elle ne faisait
déjà * qu'avec dégoût.     Mais quand il s'agit de la
laver et de la nettoyer je dus laisser faire ma femme ;
et je compris que les plus lourds et les plus dés-
agréables soins m'échappaient.

Au demeurant,     Amélie n'éleva plus la moindre
protestation.     Il semblait qu'elle eût réfléchi pendant
la nuit et pris son parti de * cette charge nouvelle ;
même elle y semblait prendre quelque plaisir et je la
vis sourire après qu'elle eut achevé d'apprêter Gertrude.     Un bonnet blanc couvrait la tête rase où j'avais
appliqué de la pommade ; quelques anciens vêtements
à Sarah * et du linge propre remplacèrent les sordides
haillons qu'Amélie venait de jeter au feu.     Ce nom de
Gertrude fut choisi par Charlotte et accepté par nous
tous aussitôt, dans l'ignorance du nom véritable qu
l'orpheline ne connaissait point elle-même et que je r
savais où retrouver.     Elle devait être un peu plus jeur
que Sarah, de sorte que les vêtements que celle-ci avait
dû laisser depuis un an lui convenaient.

Il me faut avouer ici la profonde déception où je me
sentis sombrer les premiers jours.     Certainement je
m'étais fait tout un roman * de l'éducation * de Gertrude, et la réalité me forçait par trop d'en * rabattre.
L'expression indifférente, obtuse de son visage, ou
plutôt son inexpressivité absolue glaçait jusqu'à sa

source mon bon vouloir.   Elle restait tout le long du jour, auprès du feu, sur la défensive, et dès qu'elle entendait nos voix, surtout dès que l'on s'approchait d'elle, ses traits semblaient durcir ; ils ne cessaient d'être inexpressifs que pour marquer l'hostilité ; pour peu que * l'on s'efforçât d'appeler son attention elle commençait à geindre, à grogner comme un animal. Cette bouderie ne cédait qu'à l'approche du repas, que je lui servais moi-même, et sur lequel elle se jetait avec une avidité bestiale des plus pénibles à observer.   Et de même que l'amour répond à l'amour, je sentais un sentiment d'aversion m'envahir, devant le refus obstiné de cette âme.   Oui, vraiment, j'avoue que les dix premiers jours j'en étais venu à désespérer, et même à me désintéresser d'elle au point que je regrettais mon élan premier et que j'eusse voulu ne l'avoir jamais emmenée.   Et il advenait ceci de piquant, c'est * que, triomphante un peu devant ces sentiments que je ne pouvais pas bien lui cacher, Amélie prodiguait ses soins d'autant plus et de bien meilleur cœur, semblait-il, depuis qu'elle sentait que Gertrude me devenait à charge * et que sa présence parmi nous me mortifiait.

J'en étais là quand je reçus la visite de mon ami le Docteur Martins, du Val Travers,* au cours d'une de ses tournées de malades.   Il s'intéressa beaucoup à ce que je lui dis de l'état de Gertrude, s'étonna grandement d'abord de ce qu'elle fût restée à ce point arriérée, n'étant somme toute qu'aveugle ; mais je lui expliquai qu'à son infirmité s'ajoutait la surdité de la vieille qui seule jusqu'alors avait pris soin d'elle, et qui ne lui parlait jamais, de sorte que la pauvre enfant était demeurée dans un état d'abandon total.   Il me persuada que, dans ce cas, j'avais tort de désespérer ; mais que je ne m'y prenais pas bien.

— Tu veux commencer de construire, me dit-il,

avant de t'être assuré d'un terrain solide.    Songe que
tout est chaos dans cette âme et que même les premiers
linéaments * n'en sont pas encore arrêtés.       Il s'agit,
pour commencer, de lier en faisceau quelques sensations tactiles et gustatives et d'y attacher, à la manière
d'une étiquette, un son, un mot, que tu lui rediras, à
satiété, puis tâcheras d'obtenir qu'elle redise.

" Surtout ne cherche pas d'aller * trop vite ; occupe-
toi d'elle à des heures régulières, et jamais très longtemps de suite...

" Au reste cette méthode, ajouta-t-il, après me l'avoir
minutieusement exposée, n'a rien de bien sorcier.    Je
ne l'invente point et d'autres l'ont appliquée déjà.    Ne
t'en souviens-tu pas ? du temps que nous faisions
ensemble notre philosophie,* nos professeurs, à propos
de Condillac * et de sa statue animée, nous entre-
tenaient déjà d'un cas analogue à celui-ci...    A moins,
fit-il en se reprenant, que je n'aie lu cela plus tard, dans
une revue de psychologie...    N'importe ;    cela m'a
frappé et je me souviens même du nom de cette pauvre
enfant, encore plus déshéritée * que Gertrude, car elle
était aveugle et sourde-muette, qu'un docteur de je ne
sais plus quel comté d'Angleterre recueillit, vers le
milieu du siècle dernier.    Elle avait nom Laura
Bridgeman.    Ce docteur avait tenu journal,    comme
tu devrais faire, des progrès de l'enfant, ou du moins,
pour commencer, de ses efforts à lui pour l'instruire.
Durant des jours et des semaines, il s'obstina à lui faire
toucher et palper alternativement deux petits objets,
une épingle, puis une plume, puis toucher sur une
feuille imprimée à l'usage des aveugles le relief des
deux mots anglais : *pin* et *pen*. Et durant des semaines,
il n'obtint aucun résultat.    Le corps semblait inhabité.    Pourtant il ne perdait pas confiance. Je me
faisais l'effet de * quelqu'un, racontait-il, qui, penché

sur la margelle d'un puits profond et noir, agiterait désespérément une corde dans l'espoir qu'enfin une main la saisisse.   Car il ne douta pas un instant que quelqu'un ne fût là, au fond du gouffre, et que cette corde à la fin ne soit saisie.   Et un jour, enfin, il vit cet impassible visage de Laura s'éclairer d'une sorte de sourire ; je crois bien qu'à ce moment des larmes de reconnaissance et d'amour jaillirent de ses yeux et qu'il tomba à genoux pour remercier le Seigneur.   Laura venait tout à coup de comprendre ce que le docteur voulait d'elle ; sauvée !   A partir de ce jour elle fit attention ; ses progrès furent rapides ; elle s'instruisit bientôt elle-même, et par la suite devint directrice d'un institut d'aveugles — à moins que ce ne fût une autre... car d'autres cas se présentèrent récemment, dont les revues et les journaux ont longuement parlé, s'étonnant à qui mieux mieux, un peu sottement à mon avis, que * de telles créatures pussent être heureuses.   Car c'est un fait : chacune de ces emmurées était heureuse, et sitôt qu'il leur fut donné de s'exprimer, ce fut pour raconter _leur bonheur_.   Naturellement les journalistes s'extasiaient, en tiraient un enseignement pour ceux qui, " jouissant " de leurs cinq sens, ont pourtant le front * de se plaindre...

Ici s'engagea une discussion entre Martins et moi qui regimbais contre son pessimisme et n'admettais point que les sens, comme il semblait l'admettre,* ne servissent en fin de compte qu'à nous désoler.

— Ce n'est point ainsi que je l'entends,* protesta-t-il, je veux dire simplement que l'âme de l'homme imagine plus facilement et plus volontiers la beauté, l'aisance et l'harmonie que le désordre et le péché qui partout ternissent, avilissent, tachent et déchirent ce monde et sur quoi * nous renseignent et tout à la fois * nous aident à contribuer nos cinq sens.   De sorte que,

plus volontiers, je ferais suivre le *Fortunatos nimium* *
de Virgile, de *si sua mala nescient*, que du *si sua bona
norint* qu'on nous enseigne : Combien heureux les
hommes, s'ils pouvaient ignorer le mal !

Puis il me parla d'un conte de Dickens, qu'il croit
avoir été directement inspiré par l'exemple de Laura
Bridgeman et qu'il promit de m'envoyer aussitôt.   Et
quatre jours après je reçus en effet *Le Grillon du Foyer*,*
que je lus avec un vif plaisir.   C'est l'histoire un peu
longue, mais pathétique par instants, d'une jeune
aveugle que son père, pauvre fabricant de jouets, en-
tretient dans l'illusion du confort, de la richesse et du
bonheur ; mensonge que l'art de Dickens s'évertue à
faire passer pour pieux, mais dont, Dieu merci ! je
n'aurai pas à user avec Gertrude.

Dès le lendemain du jour où Martins était venu me
voir, je commençai de mettre en pratique sa méthode
et m'y appliquai de mon mieux.   Je regrette à présent
de n'avoir point pris note, ainsi qu'il me le conseillait,
des premiers pas de Gertrude sur cette route crépusculaire, où moi-même je ne la guidais d'abord qu'en
tâtonnant.   Il y fallut, dans les premières semaines,
plus de patience que l'on ne saurait croire, non seulement en raison du temps que cette première éducation
exigeait, mais aussi des reproches qu'elle me fit encourir.   Il m'est pénible d'avoir à dire que ces reproches me venaient d'Amélie ; et du reste, si j'en
parle ici, c'est que je n'en ai conservé nulle animosité,
nulle aigreur — je l'atteste * solennellement pour le
cas où plus tard ces feuilles seraient lues par elle.   (Le
pardon des offenses ne nous est-il pas enseigné par le
Christ immédiatement à la suite de la parabole sur la
brebis égarée ?)* Je dirai plus : au moment même où
j'avais le plus à souffrir de ses reproches, je ne pouvais

lui en vouloir de ce qu'elle désapprouvât ce long temps
que je consacrais à Gertrude. Ce que je lui reprochais
plutôt c'était de n'avoir pas confiance que mes soins
pussent remporter quelques succès. Oui, c'est ce
manque de foi qui me peinait ; sans me décourager du
reste. Combien souvent j'eus à l'entendre répéter :
" Si encore tu devais aboutir à quelque résultat…" Et
elle demeurait obtusément convaincue que ma peine
était vaine ; de sorte que naturellement il lui paraissait
mal séant que je consacrasse à cette œuvre un temps
qu'elle prétendait toujours qui * serait mieux employé
différemment. Et chaque fois que je m'occupais de
Gertrude elle trouvait à me représenter que je ne sais
qui ou quoi attendait cependant après moi,* et que je
distrayais * pour celle-ci un temps que j'eusse dû
donner à d'autres. Enfin, je crois qu'une sorte de
jalousie maternelle l'animait, car je lui entendis plus
d'une fois me dire : " Tu ne t'es jamais autant occupé
d'aucun de tes propres enfants." Ce qui était vrai ;
car si j'aime beaucoup mes enfants, je n'ai jamais cru
que j'eusse beaucoup à m'occuper d'eux.

J'ai souvent éprouvé * que la parabole de la brebis
égarée reste une des plus difficiles à admettre pour certaines âmes, qui pourtant se croient profondément
chrétiennes. Que chaque brebis du troupeau, prise à
part, puisse aux yeux du berger être plus précieuse à
son tour que tout le reste du troupeau pris en bloc,
voici ce qu'elles ne peuvent s'élever à comprendre.
Et ces mots * : " Si un homme a cent brebis et que
l'une d'elles s'égare, ne laisse-t-il pas les quatre-vingt-
dix-neuf autres sur les montagnes, pour aller chercher
celle qui s'est égarée ? " — ces mots tout rayonnants
de charité, si elles osaient parler franc, elles les
déclareraient de la plus révoltante injustice.

Les premiers sourires de Gertrude me consolaient

*la foi —*
*faith*

*la charité —*

de tout et payaient mes soins au centuple.   Car " cette
brebis, si le pasteur la trouve, je vous le dis en vérité,
elle lui cause plus de joie que les quatre-vingt-dix-neuf
autres qui ne se sont jamais égarées."* Oui, je le dis
en vérité, jamais sourire d'aucun de mes enfants ne m'a
inondé le cœur d'une aussi séraphique joie que fit celui
que je vis poindre sur ce visage de statue * certain
matin où brusquement elle sembla commencer à comprendre et à s'intéresser à ce que je m'efforçais de lui
enseigner depuis tant de jours.

Le 5 mars.   J'ai noté cette date comme celle d'une
naissance.   C'était moins un sourire qu'une trans-
figuration.   Tout à coup ses traits *s'animèrent* * ;  ce
fut comme un éclairement subit, pareil à cette lueur
purpurine dans les hautes Alpes qui, précédant l'aurore,
fait vibrer le sommet neigeux qu'elle désigne * et sort *
de la nuit ;  on eût dit une coloration mystique ;  et je
songeai également à la piscine de Bethesda * au
moment que l'ange descend et vient réveiller l'eau
dormante.   J'eus une sorte de ravissement devant
l'expression angélique que Gertrude put prendre
soudain, car il m'apparut que ce qui la visitait en cet
instant, n'était point tant l'intelligence que l'amour.
Alors un tel élan de reconnaissance me souleva, qu'il
me sembla que j'offrais à Dieu le baiser que je déposai
sur ce beau front.

Autant ce premier résultat avait été difficile à obtenir,
autant les progrès sitôt après furent rapides.* Je fais
effort aujourd'hui pour me remémorer par quels
chemins nous procédâmes ;  il me semblait parfois
que Gertrude avançât par bonds comme pour se
moquer des méthodes.   Je me souviens que j'insistai
d'abord sur les qualités des objets plutôt que sur la
variété de ceux-ci :  le chaud, le froid, le tiède, le doux,

l'amer, le rude, le souple, le léger... puis les mouvements : écarter, rapprocher, lever, croiser, coucher,
nouer, disperser, rassembler, etc... Et bientôt, abandonnant toute méthode, j'en vins à causer avec elle
sans trop m'inquiéter si son esprit toujours me suivait*;
mais lentement, l'invitant et la provoquant à me
questionner à loisir. Certainement un travail se faisait
en son esprit durant le temps que je l'abandonnais à
elle-même ; car chaque fois que je la retrouvais, c'était
avec une nouvelle surprise et je me sentais séparé d'elle
par une moindre épaisseur de nuit. C'est tout de même
ainsi, me disais-je, que la tiédeur de l'air et l'insistance
du printemps triomphent peu à peu de l'hiver. Que
de fois n'ai-je pas admiré la manière dont fond la neige :
on dirait que le manteau s'use par en dessous, et son
aspect reste le même. A chaque hiver Amélie y est
prise et me déclare : la neige n'a toujours pas changé ;
on la croit épaisse encore, quand déjà la voici qui cède
et tout à coup, de place en place, laisse reparaître
la vie.

Craignant que Gertrude ne s'étiolât à demeurer
auprès du feu sans cesse, comme une vieille, j'avais
commencé de la faire sortir. Mais elle ne consentait
à se promener qu'à mon bras. Sa surprise et sa crainte
d'abord, dès qu'elle avait quitté la maison, me laissèrent
comprendre, avant qu'elle n'eût su me le dire, qu'elle
ne s'était encore jamais hasardée au dehors. Dans la
chaumière où je l'avais trouvée, personne ne s'était
occupé d'elle autrement que pour lui donner à manger
et l'aider à ne point mourir, car je n'ose point dire : à
vivre. Son univers obscur était borné par les murs
mêmes de cette unique pièce qu'elle n'avait jamais
quittée ; à peine se hasardait-elle, les jours d'été, au
bord du seuil, quand la porte restait ouverte sur le
grand univers lumineux. Elle me raconta plus tard,

qu'entendant le chant des oiseaux, elle l'imaginait alors
un pur effet de la lumière, ainsi que cette chaleur même
qu'elle sentait caresser ses joues et ses mains, et que,
sans du reste y réfléchir précisément, il lui paraissait
tout naturel que l'air chaud se mît à chanter, de même
que l'eau se met à bouillir près du feu.   Le vrai c'est
qu'elle ne s'en était point inquiétée, qu'elle ne faisait
attention à rien et vivait dans un engourdissement profond, jusqu'au jour où je commençai de m'occuper
d'elle.   Je me souviens de son inépuisable ravissement
lorsque je lui appris que ces petites voix émanaient de
créatures vivantes, dont il semble que l'unique fonction
soit de sentir et d'exprimer l'éparse joie de la nature.
(C'est de ce jour qu'elle prit l'habitude de dire : Je
suis joyeuse comme un oiseau.)   Et pourtant l'idée
que ces chants racontaient la splendeur d'un spectacle
qu'elle ne pouvait point contempler avait commencé
par la rendre mélancolique.

— Est-ce que vraiment, disait-elle, la terre est aussi
belle que le racontent les oiseaux ?   Pourquoi ne le
dit-on pas davantage ?   Pourquoi, vous, ne me le
dites-vous pas ?   Est-ce par crainte de me peiner en
songeant que je ne puis la voir ?   Vous auriez tort.
J'écoute si bien les oiseaux ; je crois que je comprends
tout ce qu'ils disent.

— Ceux qui peuvent y voir ne les entendent pas si
bien que toi,* ma Gertrude, lui dis-je en espérant la
consoler.

— Pourquoi les autres animaux ne chantent-ils pas ?
reprit-elle.   Parfois ses questions me surprenaient et
je demeurais un instant perplexe, car elle me forçait
de * réfléchir à ce que jusqu'alors j'avais accepté sans
m'en étonner.   C'est ainsi que je considérai, pour la
première fois, que, plus l'animal est attaché de près à
la terre et plus il est pesant,  plus il est triste.   C'est

ce que je tâchai de lui faire comprendre ; et je lui
parlai de l'écureuil et de ses jeux.

Elle me demanda alors si les oiseaux étaient les seuls
animaux qui volaient.

— Il y a aussi les papillons, lui dis-je.

— Est-ce qu'ils chantent ?

— Ils ont une autre façon de raconter leur joie,
repris-je. Elle est inscrite en couleurs sur leurs ailes...
Et je lui décrivis la bigarrure des papillons.

*medley*

28 *février.*

Je reviens en arrière ; car hier je m'étais laissé entraîner.

Pour l'enseigner à Gertrude j'avais dû apprendre
moi-même l'alphabet des aveugles ; mais bientôt elle
devint beaucoup plus habile que moi à lire cette
écriture où j'avais assez de peine à me reconnaître,* et
qu'au surplus, je suivais plus volontiers avec les yeux
qu'avec les mains. Du reste, je ne fus point le seul à
l'instruire. Et d'abord je fus heureux d'être secondé
dans ce soin, car j'ai fort à faire sur * la commune,*
dont les maisons sont dispersées à l'excès de sorte que
mes visites de pauvres et de malades m'obligent à des
courses parfois assez lointaines. Jacques avait trouvé
le moyen de se casser le bras en patinant pendant les
vacances de Noël qu'il était venu passer près de nous —
car entre temps il était retourné à Lausanne où il avait
fait déjà ses premières études, et entré à la faculté de
théologie. La fracture ne présentait aucune gravité et
Martins que j'avais aussitôt appelé put aisément la
réduire * sans l'aide d'un chirurgien; mais les pré-
cautions qu'il fallut prendre obligèrent Jacques à
garder la maison * quelque temps. Il commença

brusquement de s'intéresser à Gertrude, que jusqu'alors il n'avait point considérée, et s'occupa de *
m'aider à lui apprendre à lire.   Sa collaboration ne
dura que le temps de sa convalescence, trois semaines
environ, mais durant lesquelles Gertrude fit de sensibles
progrès.   Un zèle extraordinaire la stimulait à présent.
Cette intelligence hier encore engourdie, il semblait
que, dès les premiers pas et presque avant de savoir
marcher, elle * se mettait à courir.   J'admire * le peu
de difficulté qu'elle trouvait à formuler ses pensées, et
combien promptement elle parvint à s'exprimer d'une
manière, non point enfantine, mais correcte déjà,
s'aidant pour imager * l'idée, et de la manière la plus
inattendue pour nous et la plus plaisante,* des objets *
qu'on venait de lui apprendre à connaître, ou de ce
dont nous lui parlions et que nous lui décrivions,
lorsque nous ne le pouvions mettre directement à sa
portée ;  car nous nous servions toujours de ce qu'elle
pouvait toucher ou sentir pour expliquer ce qu'elle ne
pouvait atteindre, procédant à la manière des télémétreurs.*

Mais je crois inutile de noter ici tous les échelons *
premiers de cette instruction qui, sans doute, se retrou-
vent dans l'instruction de tous les aveugles.   C'est
ainsi que, pour chacun d'eux, je pense, la question des
couleurs a plongé chaque maître dans un même embarras.   (Et à ce sujet je fus appelé * à remarquer
qu'il n'est nulle part question de couleurs dans
l'Évangile.)   Je ne sais comment s'y sont pris les
autres ;  pour ma part je commençai par lui nommer
les couleurs du prisme dans l'ordre où * l'arc-en-ciel
nous les présente ;  mais aussitôt s'établit une confusion dans son esprit entre couleur et clarté ;  et je
me rendais compte que son imagination ne parvenait
à faire aucune distinction entre la qualité de la nuance *

*[marginalia: les couleurs— difficile à expliquer clarté, son analogie comme les instruments d'orchestre]*

et ce que les peintres appellent, je crois, " la valeur." *
Elle avait le plus grand mal à comprendre que chaque
couleur à son tour pût être plus ou moins foncée, et
qu'elles pussent à l'infini se mélanger entre elles.   Rien
ne l'intriguait * davantage et elle revenait sans cesse
là-dessus.

Cependant il me fut donné * de l'emmener à Neuchâtel où je pus lui faire entendre un concert.   Le rôle
de chaque instrument dans la symphonie me permit de
revenir sur cette question des couleurs.   Je fis remarquer à Gertrude les sonorités différentes des
cuivres, des instruments à cordes et des bois, et que
chacun d'eux à sa manière est susceptible d'offrir, avec
plus ou moins d'intensité, toute l'échelle des sons, des
plus graves * aux plus aigus.   Je l'invitai à se représenter de même, dans la nature, les colorations rouges
et orangées analogues aux sonorités des cors et des
trombones, les jaunes et les verts à celles des violons,
des violoncelles et des basses ; les violets et les bleus
rappelés ici par les flûtes, les clarinettes et les hautbois.
Une sorte de ravissement intérieur vint dès lors
remplacer ses doutes :

— Que cela doit être beau ! répétait-elle.

Puis, tout à coup :

— Mais alors : le blanc ?   Je ne comprends plus à
quoi ressemble le blanc...

Et il m'apparut aussitôt combien ma comparaison
était précaire.

— Le blanc, essayai-je pourtant de lui dire, est la
limite aiguë où tous les tons se confondent, comme le
noir en est la limite sombre.   — Mais ceci ne me satisfit
pas plus qu'elle, qui me fit aussitôt remarquer que les
bois, les cuivres et les violons restent distincts les uns
des autres dans le plus grave aussi bien que dans le
plus aigu.   Que de fois, comme alors, je dus demeurer

d'abord silencieux, perplexe et cherchant à quelle comparaison je pourrais faire appel.

— Eh bien ! lui dis-je enfin, représente-toi le blanc comme quelque chose de tout pur, quelque chose où il n'y a plus aucune couleur, mais seulement de la lumière ; le noir, au contraire, comme chargé de couleur, jusqu'à en être tout obscurci...

Je ne rappelle ici ce débris * de dialogue que comme un exemple des difficultés où * je me heurtais trop souvent. Gertrude avait ceci de bien * qu'elle ne faisait jamais semblant de comprendre, comme font si souvent les gens, qui meublent ainsi leur esprit de données * imprécises ou fausses, par quoi tous leurs raisonnements ensuite se trouvent viciés. Tant qu'elle ne s'en était point fait une idée nette, chaque notion demeurait pour elle une cause d'inquiétude et de gêne.*

Pour ce que j'ai dit plus haut, la difficulté s'augmentait de ce que, dans son esprit, la notion de lumière et celle de chaleur s'étaient d'abord étroitement liées, de sorte que j'eus le plus grand mal à les dissocier par la suite.

Ainsi j'expérimentais sans cesse * à travers elle combien le monde visuel diffère du monde des sons et à quel point toute comparaison que l'on cherche à tirer de l'un pour l'autre est boiteuse.

*29 février.*

Tout occupé par mes comparaisons, je n'ai point dit encore l'immense plaisir que Gertrude avait pris à ce concert de Neuchâtel. On y jouait précisément la *Symphonie Pastorale.** Je dis " précisément " car il n'est, on le comprend aisément, pas une œuvre que j'eusse pu davantage souhaiter de lui faire entendre. Longtemps après que nous eûmes quitté la salle de concert, Gertrude restait encore silencieuse et comme noyée dans l'extase.

— Est-ce que vraiment ce que vous voyez est aussi beau que cela ? dit-elle enfin.

— Aussi beau que quoi ? ma chérie. *Gertrud*

— Que cette " *scène au bord du ruisseau.*" *

Je ne lui répondis pas aussitôt, car je réfléchissais que ces harmonies ineffables peignaient, non point le monde tel qu'il était, mais bien * tel qu'il aurait pu être, qu'il pourrait être sans le mal et sans le péché. Et jamais encore je n'avais osé parler à Gertrude du mal, du péché, de la mort.

— Ceux qui ont des yeux, dis-je enfin, ne connaissent pas leur bonheur.

— Mais moi qui n'en ai point, s'écria-t-elle aussitôt, je connais le bonheur d'entendre.

Elle se serrait contre moi tout en marchant et elle pesait * à mon bras comme font les petits enfants :

— Pasteur, est-ce que vous sentez combien je suis heureuse ? Non, non, je ne dis pas cela pour vous faire plaisir. Regardez-moi : est-ce que cela ne se voit pas sur le visage, quand ce que l'on dit n'est pas vrai ? Moi, je le reconnais si bien à la voix. Vous souvenez-vous du jour où vous m'avez répondu que vous ne pleuriez pas, après que ma tante (c'est ainsi qu'elle appelait ma femme) vous avait reproché de ne rien savoir * faire pour elle ; je me suis écriée : Pasteur, vous mentez ! Oh ! je l'ai senti * tout de suite à votre voix, que vous ne me disiez pas la vérité ; je n'ai pas eu besoin de toucher vos joues, pour savoir que vous aviez pleuré. Et elle répéta très haut : Non, je n'avais pas besoin de toucher vos joues — ce qui me fit rougir, parce que nous étions encore dans la ville et que des passants se retournèrent. Cependant elle continuait :

— Il ne faut pas chercher à m'en faire accroire,*
voyez-vous.    D'abord parce que ça * serait très
lâche de chercher à tromper une aveugle...    Et puis
parce que ça ne prendrait pas,* ajouta-t-elle en riant.
Dites-moi, pasteur, vous n'êtes pas malheureux,
n'est-ce pas ?

Je portai sa main à mes lèvres, comme pour lui faire
sentir sans le lui avouer que partie * de mon bonheur
venait d'elle, tout en répondant :

— Non, Gertrude, non, je ne suis pas malheureux.
Comment serais-je malheureux ?

— Vous pleurez quelquefois, pourtant ?

— J'ai pleuré quelquefois.

— Pas depuis la fois que j'ai dit ? *

— Non, je n'ai plus repleuré, depuis.

— Et vous n'avez plus eu envie de pleurer ?

— Non, Gertrude.

— Et dites... est-ce qu'il vous est arrivé depuis,
d'avoir envie de mentir ?

— Non, chère enfant.

— Pouvez-vous me promettre de ne jamais chercher
à me tromper ?

— Je le promets.

— Eh bien ! dites-moi tout de suite :    Est-ce que
je suis jolie ?

Cette brusque question m'interloqua, d'autant plus
que je n'avais point voulu jusqu'à ce jour accorder
attention à l'indéniable beauté de Gertrude ; et je
tenais pour parfaitement inutile, au surplus, qu'elle en
fût elle-même avertie.

— Que t'importe de le savoir ? lui dis-je aussitôt.

— Cela, c'est mon souci, reprit-elle.    Je voudrais
savoir si je ne... comment dites-vous cela ?... si je ne
détonne pas trop dans la symphonie.    A qui d'autre
demanderais-je cela, pasteur ?

— Un pasteur n'a pas à s'inquiéter de la beauté des visages, dis-je, me défendant comme je pouvais.

— Pourquoi ?

— Parce que la beauté des âmes lui suffit.

— Vous préférez me laisser croire que je suis laide, dit-elle alors avec une moue charmante ; de sorte que, n'y tenant plus, je m'écriai :

— Gertrude, vous savez bien que vous êtes jolie.

Elle se tut et son visage prit une expression très grave dont elle ne se départit plus jusqu'au retour.

Aussitôt rentrés, Amélie trouva le moyen de me faire sentir qu'elle désapprouvait l'emploi de ma journée. Elle aurait pu me le dire auparavant ; mais elle nous avait laissés partir, Gertrude et moi, sans mot dire, selon son habitude de laisser faire * et de se réserver ensuite le droit de blâmer. Du reste elle ne me fit point précisément des reproches ; mais son silence même était accusateur ; car n'eût-il pas été naturel qu'elle s'informât de ce que nous avions entendu, puisqu'elle savait que je menais Gertrude au concert ? la joie de cette enfant n'eût-elle pas été augmentée par le moindre intérêt qu'elle eût senti que l'on prenait à son plaisir ? Amélie du reste ne demeurait pas silencieuse, mais elle semblait mettre une sorte d'affectation à ne parler que des choses les plus indifférentes ; et ce ne fut que le soir, après que les petits furent allés se coucher, que l'ayant * prise à part et lui ayant demandé sévèrement :

— Tu es fâchée de ce que j'ai mené Gertrude au concert ? j'obtins cette réponse :

— Tu fais pour elle ce que tu n'aurais fait pour aucun des tiens.

C'était donc toujours le même grief, et le même refus de comprendre que l'on fête l'enfant qui revient, mais

non point ceux qui sont demeurés, comme le montre
la parabole ; il me peinait aussi de ne la voir tenir
aucun compte de l'infirmité de Gertrude, qui ne pouvait espérer d'autre fête que celle-là.   Et si, providentiellement, je m'étais trouvé libre de mon temps *
ce jour-là, moi qui suis si requis * d'ordinaire, le
reproche d'Amélie était d'autant plus injuste qu'elle
savait bien que chacun de mes enfants avait soit un
travail à faire, soit quelque occupation qui le retenait,
et qu'elle-même, Amélie, n'a point de goût pour la
musique, de sorte que, lorsqu'elle disposerait * de tout
son temps, jamais il ne lui viendrait à l'idée * d'aller au
concert, lors même que celui-ci se donnerait à notre
porte.

Ce qui me chagrinait davantage, c'est qu'Amélie eût
osé dire cela devant Gertrude ;  car bien que j'eusse
pris ma femme à l'écart, elle avait élevé la voix assez
pour que Gertrude l'entendît.   Je me sentais moins
triste qu'indigné, et quelques instants plus tard, comme
Amélie nous avait laissés, m'étant approché de Gertrude, je pris sa petite main frêle et la portant à mon
visage :

— Tu vois ! cette fois je n'ai pas pleuré.

— Non : cette fois, c'est mon tour, dit-elle, en
s'efforçant de me sourire ; et son beau visage qu'elle
levait vers moi, je vis soudain qu'il était inondé de
larmes.

8 *mars.*

Le seul plaisir que je puisse faire à Amélie, c'est de
m'abstenir de faire les choses qui lui déplaisent.   Ces
témoignages d'amour tout négatifs sont les seuls
qu'elle me permette.   A quel point elle a déjà rétréci *

ma vie, c'est ce dont elle ne peut se rendre compte,
Ah ! plût à Dieu qu'elle réclamât de moi quelque
action difficile ! Avec quelle joie j'accomplirais pour
elle le téméraire, le périlleux ! Mais on dirait qu'elle *
répugne à tout ce qui n'est pas coutumier ; de sorte
que le progrès dans la vie n'est pour elle que d'ajouter
de semblables jours au passé. Elle ne souhaite pas,
elle n'accepte même pas de moi, des vertus nouvelles,
ni même un accroissement des vertus reconnues. Elle
regarde avec inquiétude, quand ce n'est pas avec réprobation, tout effort de l'âme qui veut voir dans le
Christianisme autre chose qu'une domestication des
instincts.

Je dois avouer que j'avais complètement oublié, une
fois à Neuchâtel, d'aller régler le compte de notre
mercière, ainsi qu'Amélie m'en avait prié, et de lui
rapporter une boîte de fil. Mais j'en étais ensuite
beaucoup plus fâché contre moi qu'elle ne pouvait être
elle-même ; et d'autant plus que je m'étais bien promis
de n'y pas manquer, sachant de reste * que " celui qui
est fidèle dans les petites choses le sera aussi dans les
grandes,"*— et craignant les conclusions qu'elle pouvait tirer de mon oubli. J'aurais même voulu qu'elle
m'en fît quelque reproche, car sur ce point certainement j'en méritais. Mais comme il advient surtout,*
le grief imaginaire l'emportait sur l'imputation précise * : ah ! que la vie serait belle et notre misère supportable, si nous nous contentions des maux réels sans
prêter l'oreille aux fantômes et aux monstres de notre
esprit... Mais je me laisse aller à noter ici ce qui ferait
plutôt le sujet d'un sermon (Luc XII, 29. " N'ayez
point l'esprit inquiet "). * C'est l'histoire du développement intellectuel et moral de Gertrude que j'ai entre-
pris de tracer ici. J'y reviens.

J'espérais pouvoir suivre ici ce développement pas

à pas, et j'avais commencé d'en raconter le détail. Mais outre que le temps me manque pour en noter minutieusement toutes les phases, il m'est extrêmement difficile aujourd'hui d'en retrouver l'enchaînement exact. Mon récit m'entraînant, j'ai rapporté d'abord des réflexions de Gertrude, des conversations avec elle, beaucoup plus récentes, et celui qui par aventure lirait ces pages s'étonnera sans doute de l'entendre s'exprimer aussitôt avec tant de justesse et raisonner si judicieusement. C'est aussi que * ses progrès furent d'une rapidité déconcertante : j'admirais souvent avec quelle promptitude son esprit saisissait l'aliment intellectuel que j'approchais d'elle et tout ce dont il pouvait s'emparer, le faisant sien par un travail d'assimilation et de maturation continuel. Elle me surprenait, précédant sans cesse ma pensée, la dépassant, et souvent d'un entretien à l'autre je ne reconnaissais plus mon élève.

Au bout de peu de mois il ne paraissait plus que * son intelligence avait sommeillé si longtemps. Même elle montrait plus de sagesse déjà que n'en ont la plupart des jeunes filles que le monde extérieur dissipe * et dont maintes préoccupations futiles absorbent la meilleure * attention. Au surplus elle était, je crois, sensiblement plus âgée qu'il ne nous avait paru d'abord. Il semblait qu'elle prétendît * tourner à profit sa cécité, de sorte que j'en venais à douter si, sur beaucoup de points, cette infirmité ne lui devenait pas un avantage. Malgré moi je la comparais à Charlotte et lorsque parfois il m'arrivait de faire répéter à celle-ci ses leçons, voyant son esprit tout distrait par la moindre mouche qui vole, je pensais : " Tout de même, comme elle m'écouterait mieux, si seulement elle n'y voyait pas ! "

Il va sans dire que Gertrude était très avide de

lectures ; mais, soucieux d'accompagner le plus possible sa pensée, je préférais qu'elle ne lût pas beaucoup — ou du moins pas beaucoup sans moi — et principalement la Bible, ce qui peut paraître bien étrange pour un protestant. Je m'expliquerai là-dessus ; mais, avant que * d'aborder une question si importante, je veux relater un petit fait qui a rapport à la musique et qu'il faut situer, autant qu'il m'en souvient, peu de temps après le concert de Neuchâtel.

Oui, ce concert avait eu lieu, je crois, trois semaines avant les vacances d'été qui ramenèrent Jacques près de nous. Entre temps il m'était arrivé plus d'une fois d'asseoir Gertrude devant le petit harmonium de notre chapelle, que tient d'ordinaire Mlle de La M... chez qui Gertrude habite à présent. Louise de La M... n'avait pas encore commencé l'instruction musicale de Gertrude. Malgré l'amour que j'ai pour la musique, je n'y connais pas grand'chose et ne me sentais guère capable de rien lui enseigner lorsque je m'asseyais devant le clavier auprès d'elle.

— Non, laissez-moi, m'a-t-elle dit, dès les premiers tâtonnements. Je préfère essayer seule.

Et je la quittais d'autant plus volontiers que la chapelle ne me paraissait guère un lieu décent pour m'y enfermer seul avec elle, autant par respect pour le saint lieu, que par crainte des racontars — encore qu'à l'ordinaire je m'efforce de n'en point tenir compte; mais il s'agit ici d'elle et non plus seulement de moi. Lorsqu'une tournée de visites m'appelait de ce côté, je l'emmenais jusqu'à l'église et l'abandonnais donc, durant de longues heures, souvent, puis allais la reprendre au retour. Elle s'occupait ainsi patiemment, à découvrir des harmonies, et je la retrouvais vers le soir, attentive, devant quelque consonance qui la plongeait dans un ravissement prolongé.

Un des premiers jours d'août, il y a à peine un peu
plus de six mois de cela, n'ayant point trouvé chez elle
une pauvre veuve à qui j'allais porter quelque consolation, je revins pour prendre Gertrude à l'église où
je l'avais laissée ; elle ne m'attendait point si tôt et je
fus extrêmement surpris de trouver Jacques auprès
d'elle.  Ni l'un ni l'autre ne m'avaient entendu entrer,
car le peu de bruit que je fis fut couvert par les sons de
l'orgue.  Il n'est point dans mon naturel d'épier, mais
tout ce qui touche à Gertrude me tient à cœur :
amortissant donc le bruit de mes pas, je gravis furtivement les quelques marches de l'escalier qui mène à la
tribune * ;  excellent poste d'observation. Je dois
dire que, tout le temps que je demeurai là, je n'entendis
pas une parole que l'un et l'autre n'eussent aussi bien
dite devant moi.  Mais il était contre elle et, à
plusieurs reprises, je le vis qui prenait sa main pour
guider ses doigts sur les touches.  N'était-il pas étrange
déjà * qu'elle acceptât de lui des observations et une
direction * dont elle m'avait dit précédemment qu'elle
préférait se passer ?  J'en étais plus étonné, plus peiné
que je n'aurais voulu me l'avouer à moi-même et déjà
je me proposais d'intervenir lorsque je vis Jacques tout
à coup tirer sa montre.

— Il est temps que je te quitte, à présent, dit-il ;
mon père va bientôt revenir.

Je le vis alors porter à ses lèvres la main qu'elle lui
abandonna ;  puis il partit.  Quelques instants après,
ayant redescendu sans bruit l'escalier, j'ouvris la porte
de l'église de manière qu'elle pût l'entendre et croire
que je ne faisais que d'entrer.*

— Eh bien, Gertrude !  Es-tu prête à rentrer ?
L'orgue va bien ?

—Oui, très bien, me dit-elle de sa voix la plus naturelle ;  aujourd'hui j'ai vraiment fait quelques progrès.

Une grande tristesse emplissait mon cœur, mais nous ne fîmes l'un ni l'autre aucune allusion à ce que je viens de raconter.

Il me tardait de me trouver seul avec Jacques. Ma femme, Gertrude et les enfants se retiraient d'ordinaire assez tôt après le souper, nous laissant tous deux prolonger studieusement * la veillée. J'attendais ce moment. Mais devant que de * lui parler je me sentis le cœur si gonflé et par des sentiments si troublés que je ne savais ou n'osais aborder le sujet qui me tourmentait. Et ce fut lui qui brusquement rompit le silence en m'annonçant sa résolution de passer toutes les vacances auprès de nous. Or, peu de jours auparavant, il nous avait fait part d'un projet de voyage dans les Hautes-Alpes, que ma femme et moi avions grandement approuvé ; je savais que son ami T..., qu'il choisissait * pour compagnon de route, l'attendait ; aussi m'apparut-il nettement que ce revirement subit n'était point sans rapport avec la scène que je venais de surprendre. Une grande indignation me souleva d'abord, mais craignant, si je m'y laissais aller, que mon fils ne se fermât à moi * définitivement, craignant aussi d'avoir à regretter des paroles trop vives, je fis un grand effort sur moi-même * et du ton le plus naturel que je pus :

— Je croyais que T... comptait sur toi, lui dis-je.

— Oh ! reprit-il, il n'y comptait pas absolument, et du reste, il ne sera pas en peine de * me remplacer. Je me repose aussi bien ici que dans l'Oberland * et je crois vraiment que je peux employer mon temps mieux qu'à courir les montagnes.

— Enfin, dis-je, tu as trouvé ici de quoi t'occuper ?

Il me regarda, percevant dans le ton de ma voix quelque ironie, mais, comme il n'en distinguait pas encore le motif, il reprit d'un air dégagé :

— Vous savez que j'ai toujours préféré le livre à l'alpenstock.

— Oui, mon ami, fis-je en le regardant à mon tour fixement ; mais ne crois-tu pas que les leçons d'accompagnement à l'harmonium présentent pour toi encore plus d'attrait que la lecture ?

Sans doute il se sentit rougir, car il mit sa main devant son front, comme pour s'abriter de la clarté de la lampe. Mais il se ressaisit presque aussitôt, et d'une voix que j'aurais souhaitée moins assurée :

— Ne m'accusez pas trop, mon père. Mon intention n'était pas de vous rien cacher, et vous devancez de bien peu l'aveu que je m'apprêtais à vous faire.

Il parlait posément, comme on lit un livre, achevant ses phrases avec autant de calme, semblait-il, que s'il ne se fût pas agi de lui-même. L'extraordinaire possession de soi dont il faisait preuve achevait de m'exaspérer. Sentant que j'allais l'interrompre, il leva la main, comme pour me dire : non, vous pourrez parler ensuite, laissez-moi d'abord achever ; mais je saisis son bras et le secouant :

— Plutôt que de te voir porter le trouble dans l'âme pure de Gertrude, m'écriai-je impétueusement, ah ! je préférerais ne plus te revoir. Je n'ai pas besoin de tes aveux ! Abuser de l'infirmité, de l'innocence, de la candeur, c'est une abominable lâcheté dont je ne t'aurais jamais cru capable ! et de m'en parler avec ce détestable sang-froid!... Écoute-moi bien : J'ai charge de Gertrude et je ne supporterai pas un jour de plus que tu lui parles, que tu la touches, que tu la voies.

— Mais, mon père, reprit-il sur le même ton tranquille et qui me mettait hors de moi, croyez bien que je respecte Gertrude autant que vous pouvez faire vous-même. Vous vous méprenez étrangement * si vous pensez qu'il entre quoi que ce soit de répréhensible, je ne dis pas seulement dans ma conduite, mais dans mon dessein même et dans le secret de mon cœur. J'aime Gertrude, et je la respecte, vous dis-je, autant que je l'aime. L'idée de la troubler, d'abuser de son innocence et de sa cécité me paraît aussi abominable qu'à vous. Puis il protesta que ce qu'il voulait être pour elle, c'était un soutien, un ami, un mari ; qu'il n'avait pas cru devoir m'en parler avant que sa résolution de l'épouser ne fût prise ; que cette résolution Gertrude elle-même ne la connaissait pas encore et que c'était à moi qu'il en voulait parler d'abord. — Voici l'aveu que j'avais à vous faire, ajouta-t-il, et je n'ai rien d'autre à vous confesser, croyez-le.

Ces paroles m'emplissaient de stupeur. Tout en les écoutant j'entendais mes tempes battre. Je n'avais préparé que des reproches, et, à mesure qu'il m'enlevait toute raison de m'indigner, je me sentais plus * désemparé, de sorte qu'à la fin de son discours je ne trouvais plus rien à lui dire.

— Allons nous coucher, fis-je enfin, après un assez long silence. Je m'étais levé et lui posai la main sur l'épaule. Demain je te dirai ce que je pense de tout cela.

— Dites-moi du moins que vous n'êtes plus irrité * contre moi.

— J'ai besoin de la nuit pour réfléchir.

Quand je retrouvai Jacques le lendemain, il me sembla vraiment que je le regardais pour la première fois. Il m'apparut tout à coup que mon fils n'était plus un enfant, mais un jeune homme ; tant que je le considérais comme un enfant, cet amour que j'avais surpris pouvait me sembler monstrueux. J'avais passé la nuit à me persuader qu'il était tout naturel et normal

au contraire. D'où venait que mon insatisfaction
n'en * était que plus vive ? C'est ce qui ne devait
s'éclairer pour moi qu'un peu plus tard. En attendant
je devais parler à Jacques et lui signifier ma décision.
Or un instinct aussi sûr * que celui de la conscience
m'avertissait qu'il fallait empêcher ce mariage à tout
prix.

J'avais entraîné Jacques dans le fond du jardin; c'est
là que je lui demandai d'abord :

— T'es-tu déclaré à Gertrude ?

— Non, me dit-il. Peut-être sent-elle déjà mon
amour ; mais je ne le lui ai point avoué.

— Eh bien ! tu vas me faire la promesse de ne pas
lui en parler encore.

— Mon père, je me suis promis de vous obéir ; mais
ne puis-je connaître vos raisons ?

J'hésitais à lui en donner, ne sachant trop si celles
qui me venaient d'abord à l'esprit étaient celles mêmes
qu'il importait le plus de mettre en avant. A dire vrai
la conscience bien plutôt que la raison dictait ici ma
conduite.

— Gertrude est trop jeune, dis-je enfin. Songe
qu'elle n'a pas encore communié. * Tu sais que ce
n'est pas une enfant comme les autres, hélas ! et que
son développement a été beaucoup retardé. Elle ne
serait sans doute que trop sensible, confiante comme
elle est, aux premières paroles d'amour qu'elle enten-
drait ; c'est précisément pourquoi il importe de ne pas
les lui dire. S'emparer de ce qui ne peut se défendre,
c'est une lâcheté ; je sais que tu n'es pas un lâche.
Tes sentiments, dis-tu, n'ont rien de répréhensible ;
moi je les dis coupables parce qu'ils sont prématurés.
La prudence que Gertrude n'a pas encore, c'est à nous
de l'avoir pour elle. C'est une affaire de conscience.

Jacques a ceci d'excellent, qu'il suffit, pour le retenir,

de ces simples mots : " Je fais appel à ta conscience "
dont j'ai souvent usé lorsqu'il était enfant.  Cependant je le regardais et pensais que, si elle pouvait y
voir, Gertrude ne laisserait pas d'admirer ce grand
corps svelte, à la fois si droit et si souple, ce beau front
sans rides, ce regard franc, ce visage enfantin encore,
mais que semblait ombrer une soudaine gravité.  Il
était nu-tête et ses cheveux cendrés,  qu'il portait alors
assez longs, bouclaient légèrement à ses tempes et
cachaient ses oreilles à demi.

— Il y a ceci que je veux te demander encore, repris-
je en me levant du banc où nous étions assis : tu avais
l'intention, disais-tu, de partir après-demain ; je te
prie de ne pas différer ce départ.  Tu devais rester
absent tout un mois ; je te prie de ne pas raccourcir
d'un jour ce voyage.  C'est entendu ?

— Bien, mon père, je vous obéirai.

Il me parut qu'il devenait extrêmement pâle, au
point que ses lèvres mêmes étaient décolorées.  Mais
je me persuadai * que, pour une soumission si prompte,
son amour ne devait pas être bien fort ; et j'en éprou-
vai un soulagement indicible.  Au surplus, j'étais
sensible à * sa docilité.

— Je retrouve l'enfant que j'aimais, lui dis-je doucement, et, le tirant à moi, je posai mes lèvres sur son
front.  Il y eut de sa part un léger recul ; mais je ne
voulus pas m'en affecter.*


                                        10 *mars.*


Notre maison est si petite que nous sommes obligés
de vivre un peu les uns sur les autres, ce qui est assez
gênant parfois pour mon travail, bien que j'aie réservé
au premier * une petite pièce où je puisse me retirer

et recevoir mes visites ; gênant surtout lorsque je
veux parler à l'un des miens * en particulier, sans
pourtant donner à l'entretien une allure trop solennelle
comme il adviendrait dans cette sorte de parloir * que
les enfants appellent en plaisantant : le Lieu saint,* où
il leur est défendu d'entrer ; mais ce même matin
Jacques était parti pour Neuchâtel, où il devait acheter
ses chaussures d'excursionniste, et, comme il faisait
très beau, les enfants, après déjeuner, sortirent avec
Gertrude, que tout à la fois * ils conduisent et qui les
conduit.   (J'ai plaisir à remarquer * ici que Charlotte
est particulièrement attentionnée avec * elle.)   Je me
trouvai donc tout naturellement seul avec Amélie à
l'heure du thé, que nous prenons toujours dans la salle
commune.   C'était ce que je désirais, car il me tardait
de lui parler.   Il m'arrive si rarement d'être en tête à
tête avec elle que je me sentais comme timide, et l'importance de ce que j'avais à lui dire me troublait,
comme s'il se fût agi, non des aveux de Jacques, mais
des miens propres.   J'éprouvais aussi, devant que de *
parler, à quel point deux êtres, vivant somme toute de
la même vie, et qui s'aiment, peuvent rester (ou
devenir) l'un pour l'autre énigmatiques et emmurés ;
les paroles, dans ce cas, soit celles que nous adressons
à l'autre, soit celles que l'autre nous adresse,
sonnent plaintivement comme des coups de sonde *
pour nous avertir de la résistance de cette cloison
séparatrice * et qui, si l'on n'y veille, risque d'aller
s'épaississant...

— Jacques m'a parlé hier soir et ce matin,
commençai-je, tandis qu'elle versait le thé ; et
ma voix était aussi tremblante que celle de Jacques
hier était assurée. Il m'a parlé de son amour pour
Gertrude.

— Il a bien fait de t'en parler, dit-elle sans me

regarder et en continuant son travail de ménagère, comme si je lui annonçais une chose toute naturelle, ou plutôt comme si je ne lui apprenais rien.

— Il m'a dit son désir de l'épouser ; sa résolution...

— C'était à prévoir, murmura-t-elle en haussant légèrement les épaules.

— Alors tu t'en doutais ? fis-je un peu nerveusement.

— On voyait venir cela depuis longtemps. Mais c'est un genre de choses que les hommes ne savent pas remarquer.

Comme il n'eût servi à rien de protester, et que du reste il y avait peut-être un peu de vrai dans sa repartie, j'objectai simplement :

— Dans ce cas, tu aurais bien pu m'avertir.

Elle eut ce sourire un peu crispé du coin de la lèvre, par quoi * elle accompagne parfois et protège ses réticences, et en hochant la tête obliquement :

— S'il fallait que je t'avertisse de tout ce que tu ne sais pas remarquer !

Que signifiait cette insinuation ?  C'est ce que je ne savais, ni ne voulais chercher à savoir, et passant outre * :

— Enfin, je voulais entendre ce que toi tu penses de cela.

Elle soupira, puis :

— Tu sais, mon ami, que je n'ai jamais approuvé la présence de cette enfant parmi nous.

J'avais du mal à ne pas m'irriter en la voyant revenir ainsi sur le passé.

— Il ne s'agit pas de la présence de Gertrude, repris-je ; mais Amélie continuait déjà :

— J'ai toujours pensé qu'il n'en pourrait rien résulter que de fâcheux.

Par grand désir de conciliation, je saisis au bond la phrase * :

— Alors tu considères comme fâcheux un tel mariage. Eh bien ! c'est ce que je voulais t'entendre dire ; heureux que * nous soyons du même avis. J'ajoutai que du reste Jacques s'était docilement soumis aux raisons que je lui avais données, de sorte qu'elle n'avait plus à s'inquiéter : qu'il était convenu qu'il partirait demain pour ce voyage qui devrait durer tout un mois.

— Comme je ne me soucie pas plus que toi qu'il retrouve Gertrude ici à son retour, dis-je enfin, j'ai pensé que le mieux serait de la confier à Mlle de La M... chez qui je pourrai continuer de la voir ; car je ne me dissimule pas que j'ai contracté de véritables obligations envers elle. J'ai tantôt été pressentir * la nouvelle hôtesse, qui ne demande qu'à nous obliger. Ainsi tu seras délivrée d'une présence qui t'est pénible. Louise de la M... s'occupera de Gertrude ; elle se montre enchantée de l'arrangement ; elle se réjouit déjà de lui donner des leçons d'harmonie.

Amélie semblant décidée à demeurer silencieuse, je repris :

— Comme il faut éviter que Jacques n'aille retrouver Gertrude là-bas en dehors de nous,* je crois qu'il sera bon d'avertir Mlle de La M... de la situation, ne penses-tu pas ?

Je tâchais par cette interrogation d'obtenir un mot d'Amélie ; mais elle gardait les lèvres serrées, comme s'étant juré de ne rien dire. Et je continuai, non qu'il me restât rien à ajouter, mais parce que je ne pouvais supporter son silence :

— Au reste, Jacques reviendra de ce voyage peut-être déjà guéri de son amour. A son âge, est-ce qu'on connaît seulement * ses désirs ?

— Oh ! même plus tard on ne les connaît pas toujours, fit-elle enfin bizarrement.

Son ton énigmatique et sentencieux m'irritait, car je suis de naturel trop franc pour m'accommoder aisément du mystère. Me tournant vers elle, je la priai d'expliquer ce qu'elle sous-entendait par là.

— Rien, mon ami, reprit-elle tristement. Je songeais seulement que tantôt tu souhaitais qu'on t'avertisse de ce que tu ne remarquais pas.

— Et alors ?

— Et alors je me disais qu'il n'est pas aisé d'avertir.

J'ai dit que j'avais horreur du mystère * et, par principe, je me refuse aux sous-entendus.

— Quand tu voudras que je te comprenne, tu tâcheras de t'exprimer plus clairement, repartis-je d'une manière peut-être un peu brutale, et que je regrettai tout aussitôt ; car je vis un instant ses lèvres trembler. Elle détourna la tête puis, se levant, fit quelques pas hésitants et comme chancelants dans la pièce.

— Mais enfin, Amélie, m'écriai-je, pourquoi continues-tu à te désoler, à présent que tout est réparé ?

Je sentais que mon regard la gênait, et c'est le dos tourné, m'accoudant à la table et la tête appuyée contre la main, que je lui dis :

— Je t'ai parlé durement tout à l'heure. Pardon.

Alors je l'entendis s'approcher de moi, puis je sentis ses doigts se poser doucement sur mon front, tandis qu'elle disait d'une voix tendre et pleine de larmes :

— Mon pauvre ami !

Puis aussitôt elle quitta la pièce.

Les phrases d'Amélie, qui me paraissaient alors mystérieuses, s'éclairèrent pour moi peu ensuite ; je les ai rapportées telles qu'elles m'apparurent d'abord ; et ce jour-là je compris seulement * qu'il était temps que Gertrude partît.

Je m'étais imposé ce devoir de consacrer quotidiennement un peu de temps à Gertrude ; c'était,
suivant les occupations de chaque jour, quelques heures
ou quelques instants.   Le lendemain du jour où j'avais
eu cette conversation avec Amélie, je me trouvais assez
libre, et, le beau temps y invitant, j'entraînai Gertrude
à travers la forêt, jusqu'à ce repli du Jura où, à travers
le rideau des branches et par delà l'immense pays
dominé,   le regard, quand le temps est clair, par-
dessus une brume légère, découvre * l'émerveillement
des Alpes blanches.   Le soleil déclinait déjà sur notre
gauche quand nous parvînmes à l'endroit où nous
avions coutume de nous asseoir.   Une prairie à l'herbe
à la fois rase et drue dévalait à nos pieds ; plus loin
pâturaient quelques vaches ; chacune d'elles, dans ces
troupeaux de montagne, porte une cloche au cou.

— Elles dessinent le paysage, disait Gertrude en
écoutant leur tintement.

Elle me demanda, comme à chaque promenade, de
lui décrire l'endroit où nous nous arrêtions.

— Mais, lui dis-je, tu le connais déjà ; c'est l'orée
d'où l'on voit les Alpes.

— Est-ce qu'on les voit bien aujourd'hui ?

— On voit leur splendeur tout entière.

— Vous m'avez dit qu'elles étaient chaque jour un
peu différentes.

— A quoi les comparerai-je aujourd'hui ?   A la soif
d'un plein jour d'été.*   Avant ce soir elles auront
achevé de se dissoudre dans l'air.

— Je voudrais que vous me disiez s'il y a des lys *
dans la grande prairie devant nous.

— Non, Gertrude ; les lys ne croissent pas sur ces
hauteurs ; ou seulement quelques espèces rares.

— Pas ceux que l'on appelle les lys des champs * ?

— Il n'y a pas de lys dans les champs.

— Même pas dans les champs des environs de Neuchâtel ?

— Il n'y a pas de lys des champs.

— Alors pourquoi le Seigneur nous dit-il : " Regardez les lys des champs " ?

— Il y en avait sans doute de son temps, pour qu'il le dise * ; mais les cultures des hommes les ont fait disparaître.

— Je me rappelle que vous m'avez dit souvent que le plus grand besoin de cette terre est de confiance et d'amour. Ne pensez-vous pas qu'avec un peu plus de confiance l'homme recommencerait de les voir ? Moi, quand j'écoute cette parole, je vous assure que je les vois. Je vais vous les décrire, voulez-vous ? — On dirait des cloches de flamme, de grandes cloches d'azur emplies du parfum de l'amour et que balance le vent du soir. Pourquoi me dites-vous qu'il n'y en a pas, là devant nous ? Je les sens ! J'en vois la prairie toute emplie.

— Ils ne sont pas plus beaux que tu les vois, ma Gertrude.

— Dites qu'ils ne sont pas moins beaux.

— Ils sont aussi beaux que tu les vois.

— " Et je vous dis en vérité que Salomon même, dans toute sa gloire, n'était pas vêtu comme l'un d'eux,"'dit-elle, citant les paroles du Christ, et d'entendre sa voix si mélodieuse, il me sembla que j'écoutais ces mots pour la première fois. " Dans toute sa gloire," répéta-t-elle pensivement, puis elle demeura quelque temps silencieuse, et je repris :

— Je te l'ai dit, Gertrude : ceux qui ont des yeux sont ceux qui ne savent pas regarder. Et du fond de mon cœur j'entendais s'élever cette prière : " Je te rends grâces, ô Dieu, de révéler aux humbles ce que tu caches aux intelligents ! ''

— Si vous saviez, s'écria-t-elle alors dans une exaltation enjouée, si vous pouviez savoir combien j'imagine aisément tout cela.   Tenez ! voulez-vous que je vous décrive le paysage ?...   Il y a derrière nous, au-dessus et autour de nous, les grands sapins, au goût * de résine, au tronc grenat, aux longues sombres branches horizontales qui se plaignent lorsque veut les courber le vent.   A nos pieds, comme un livre ouvert, incliné sur le pupitre de la montagne, la grande prairie verte et diaprée, que bleuit l'ombre, que dore le soleil, et dont les mots distincts sont des fleurs — des gentianes, des pulsatilles, des renoncules, et les beaux lys de Salomon — que les vaches viennent épeler avec leurs cloches, et où les anges viennent lire, puisque vous dites que les yeux des hommes sont clos.   Au bas du livre, je vois un grand fleuve de lait fumeux, brumeux, couvrant tout un abîme de mystère, un fleuve immense, sans autre rive que, là-bas, tout au loin devant nous, les belles Alpes éblouissantes...   C'est là-bas que doit aller Jacques.   Dites : est-ce * vrai qu'il part demain ?

— Il doit partir demain.   Il te l'a dit ?

— Il ne me l'a pas dit ; mais je l'ai compris.   Il doit rester longtemps absent ?

— Un mois...   Gertrude, je voulais te demander... Pourquoi ne m'as-tu pas raconté qu'il venait te retrouver à l'église ?

— Il est venu m'y retrouver deux fois.   Oh ! je ne veux rien vous cacher ! mais je craignais de vous faire de la peine.

— Tu m'en ferais en ne le disant pas.

Sa main chercha la mienne.

— Il était triste de partir.

— Dis-moi, Gertrude... t'a-t-il dit qu'il t'aimait ?

— Il ne me l'a pas dit ; mais je sens bien cela sans qu'on le dise.  Il ne m'aime pas tant que vous.

— Et toi, Gertrude, tu souffres de le voir partir ?

— Je pense qu'il vaut mieux qu'il parte.  Je ne pourrais pas lui répondre.*

— Mais, dis : tu souffres, toi, de le voir partir ?

— Vous savez bien que c'est vous que j'aime, pasteur...  Oh ! pourquoi retirez-vous votre main ? Je ne vous parlerais pas ainsi si vous n'étiez pas marié. Mais on n'épouse pas une aveugle.   Alors pourquoi ne pourrions-nous pas nous aimer ?  Dites, pasteur, est-ce que vous trouvez que c'est mal ?

— Le mal n'est jamais dans l'amour.

— Je ne sens rien que de bon dans mon cœur.  Je ne voudrais pas faire souffrir Jacques.  Je voudrais ne faire souffrir personne...  Je voudrais ne donner que du bonheur.

— Jacques pensait à demander ta main.

— Me laisserez-vous lui parler avant son départ ? Je voudrais lui faire comprendre qu'il doit renoncer à m'aimer.  Pasteur, vous comprenez, n'est-ce pas, que je ne peux épouser personne ?  Vous me laisserez lui parler, n'est-ce pas ?

— Dès ce soir.

— Non, demain, au moment même de son départ...

Le soleil se couchait dans une splendeur exaltée. L'air était tiède.  Nous nous étions levés et tout en parlant nous avions repris le sombre chemin du retour.

# DEUXIÈME CAHIER

J'ai dû laisser quelque temps ce cahier.

La neige avait enfin fondu, et sitôt que les routes furent redevenues praticables, il m'a fallu m'acquitter d'un grand nombre d'obligations que j'avais été forcé de remettre pendant le long temps que notre village était resté bloqué. Hier seulement, j'ai pu retrouver quelques instants de loisir.

La nuit dernière j'ai relu tout ce que j'avais écrit ici...

Aujourd'hui que j'ose appeler par son nom le sentiment si longtemps inavoué de mon cœur, je m'explique à peine comment j'ai pu jusqu'à présent m'y méprendre; comment certaines paroles d'Amélie, que j'ai rapportées, ont pu me paraître mystérieuses ; comment après les naïves déclarations de Gertrude, j'ai pu douter encore si je l'aimais. C'est que, tout à la fois, je ne consentais point alors à reconnaître d'amour permis en dehors du mariage, et que, dans le sentiment qui me penchait * si passionnément vers Gertrude, je ne consentais pas à reconnaître quoi que ce soit de défendu.

La naïveté de ses aveux, leur franchise même me rassurait. Je me disais : c'est une enfant. Un véritable amour n'irait pas sans confusion, ni rougeurs. Et de mon côté je me persuadais que je l'aimais comme on aime un enfant infirme. Je la soignais comme on soigne un malade, — et d'un entraînement * j'avais fait une obligation morale, un devoir. Oui, vraiment, ce soir même où elle me parlait comme j'ai rapporté, je me sentais l'âme si légère et si joyeuse que je me méprenais encore, et encore en transcrivant* ces propos. Et parce que j'eusse cru répréhensible l'amour, et que j'estimais que tout ce qui est répréhensible courbe * l'âme, ne me sentant point l'âme chargée je ne croyais pas à l'amour.

J'ai rapporté ces conversations non seulement telles qu'elles ont eu lieu, mais encore les ai-je transcrites dans une disposition d'esprit toute pareille * ; à vrai dire ce n'est qu'en les relisant cette nuit-ci que j'ai compris...

Sitôt après le départ de Jacques — auquel j'avais laissé Gertrude parler, et qui ne revint que pour les derniers jours de vacances, affectant * ou de fuir Gertrude ou de ne lui parler plus que devant moi — notre vie avait repris son cours très calme. Gertrude, ainsi qu'il était convenu, avait été * loger chez Mlle Louise, où j'allais la voir chaque jour. Mais, par peur de l'amour encore, j'affectais de ne plus parler avec elle de rien qui nous pût émouvoir. Je ne lui parlais plus qu'en pasteur, et le plus souvent en présence de Louise, m'occupant surtout de son instruction religieuse et la préparant à la communion * qu'elle vient de faire à Pâques.

Le jour de Pâques j'ai, moi aussi, communié.

Il y a de cela quinze jours. A ma surprise, Jacques, qui venait passer une semaine de vacances près de nous, ne m'a pas accompagné auprès de la Table Sainte.* Et j'ai le grand regret de devoir dire qu'Amélie, pour la première fois depuis notre mariage, s'est également abstenue. Il semblait qu'ils se fussent tous deux donné le mot et eussent résolu, par leur défection à ce rendez-vous solennel, de jeter l'ombre sur ma joie. Ici encore, je me félicitai que Gertrude ne pût y voir, de sorte que je fusse * seul à supporter le poids * de cette ombre. Je connais trop bien Amélie pour n'avoir pas su voir tout ce qu'il entrait de reproche indirect dans sa conduite. Il ne lui arrive jamais de me désapprouver ouvertement, mais elle tient à me marquer son désaveu * par une sorte d'isolement.

Je m'affectai profondément de ce qu'un grief de cet ordre — je veux dire : tel que je répugne à le considérer * — pût incliner l'âme d'Amélie au point de la détourner de ses intérêts supérieurs. Et de retour à la maison je priai pour elle dans toute la sincérité de mon cœur.

Quant à l'abstention de Jacques, elle était due à de tout autres motifs et * qu'une conversation, que j'eus avec lui peu de temps après, vint éclairer.

3 mai.

L'instruction religieuse de Gertrude m'a amené à relire l'Évangile avec un œil neuf. Il m'apparaît de plus en plus que nombre des notions dont se compose notre foi chrétienne relèvent non des paroles du Christ mais des commentaires de saint Paul.

Ce fut proprement * le sujet de la discussion que je viens d'avoir avec Jacques. De tempérament un peu sec, son cœur ne fournit pas à sa pensée un aliment suffisant ; il devient traditionaliste et dogmatique.* Il me reproche de choisir dans la doctrine chrétienne " ce qui me plaît." Mais je ne choisis pas telle ou telle parole du Christ. Simplement entre le Christ et saint Paul, je choisis le Christ. Par crainte d'avoir à les opposer, lui se refuse à dissocier l'un de l'autre, se refuse à sentir de l'un à l'autre une différence d'inspiration, et proteste si je lui dis qu'ici j'écoute un homme tandis que là j'entends Dieu. Plus il raisonne, plus il me persuade de ceci : qu'il n'est point sensible à l'accent uniquement divin de la moindre parole du Christ.

Je cherche à travers l'Évangile, je cherche en vain commandement, menace, défense... Tout cela n'est que de saint Paul. Et c'est précisément de ne le trouver point dans les paroles du Christ, qui gêne Jacques. Les âmes semblables à la sienne se croient perdues, dès qu'elles ne sentent plus auprès d'elles tuteurs, rampes et garde-fous. De plus elles tolèrent mal chez autrui une liberté qu'elles résignent, et souhaitent d'obtenir par contrainte * tout ce qu'on est prêt à leur accorder par amour.

— Mais, mon père, me dit-il, moi aussi je souhaite le bonheur des âmes.

— Non, mon ami : tu souhaites leur soumission.

— C'est dans la soumission qu'est le bonheur.

Je lui laisse le dernier mot parce qu'il me déplaît d'ergoter ; mais je sais bien que l'on compromet le bonheur en cherchant à l'obtenir par ce qui doit au contraire n'être que l'effet du bonheur — et que s'il est vrai de penser que l'âme aimante se réjouit de sa soumission volontaire, rien n'écarte plus du bonheur qu'une soumission sans amour.

Au demeurant, Jacques raisonne bien, et si je ne souffrais de rencontrer, dans un si jeune esprit, déjà tant de raideur doctrinale, j'admirerais sans doute la qualité de ses arguments et la constance de sa logique. Il me paraît souvent que je suis plus jeune que lui ; plus jeune aujourd'hui que je n'étais hier, et je me redis cette parole * : " Si vous ne devenez semblables à des petits enfants, vous ne sauriez entrer dans le Royaume."

Est-ce trahir le Christ, est-ce diminuer, profaner l'Évangile que d'y voir surtout une *méthode pour arriver à la vie bienheureuse* ? L'état de joie, qu'empêchent notre doute et la dureté de nos cœurs, pour le chrétien est un état obligatoire. Chaque être est plus ou moins capable de joie. Chaque être doit tendre à la joie. Le seul sourire de Gertrude m'en apprend plus là-dessus, que mes leçons ne lui enseignent.

Et cette parole * du Christ s'est dressée lumineusement devant moi. " Si vous étiez aveugles, vous n'auriez point de péché." Le péché, c'est ce qui obscurcit l'âme, c'est ce qui s'oppose à sa joie. Le parfait bonheur de Gertrude, qui rayonne de tout son être, vient de ce qu'elle ne connaît point le péché. Il n'y a en elle que de la clarté, de l'amour.

J'ai mis entre ses mains vigilantes les quatre évangiles, les psaumes, l'apocalypse et les trois épîtres de Jean où elle peut lire : " Dieu est lumière * et il n'y a point en lui de ténèbres " comme déjà dans son évangile elle pouvait entendre le Sauveur dire : " Je suis la lumière du monde * ; celui qui est avec moi ne marchera pas dans les ténèbres." Je me refuse à lui donner les épîtres de Paul, car si, aveugle, elle ne connaît point le péché, que sert de l'inquiéter en la laissant lire : " Le péché a pris de nouvelles forces par le commandement " (Romains VII, 13)*et toute la dialectique qui suit, si admirable soit-elle ?

8 *mai.*

Le docteur Martins est venu hier de la Chaux-de-Fonds. Il a longuement examiné les yeux de Gertrude à l'ophtalmoscope. Il m'a dit avoir parlé de Gertrude au Docteur Roux, le spécialiste de Lausanne, à qui il doit faire part de ses observations.  Leur idée à tous deux c'est que Gertrude serait opérable.  Mais nous avons convenu de ne lui parler de rien tant qu'il n'y aurait pas plus de certitude.  Martins doit venir me renseigner après consultation.  Que servirait d'éveiller en Gertrude un espoir qu'on risque de devoir éteindre aussitôt ?  —  Au surplus, n'est-elle pas heureuse ainsi ? ...

10 *mai.*

A Pâques, Jacques et Gertrude se sont revus, en ma présence — du moins Jacques a revu Gertrude et lui a parlé, mais rien que de choses insignifiantes.  Il s'est montré moins ému que je n'aurais pu craindre, et je me persuade * à nouveau que, vraiment ardent, son amour n'aurait pas été si facile à réduire,  malgré que * Gertrude lui ait déclaré, avant son départ l'an passé, que cet amour devait demeurer sans espoir.  J'ai constaté qu'il vousoie Gertrude à présent,  ce qui est certainement préférable ;  je ne le lui avais pourtant pas demandé, de sorte que je suis heureux qu'il ait compris cela de lui-même.  Il y a incontestablement beaucoup de bon en lui.

Je soupçonne néanmoins que cette soumission de Jacques n'a pas été sans débats et sans luttes.  Le fâcheux, c'est que la contrainte qu'il a dû imposer à son cœur, à présent lui paraît bonne en elle-même ; il la souhaiterait voir imposer à tous ; je l'ai senti dans cette discussion que je viens d'avoir avec lui et que j'ai rapportée plus haut.  N'est-ce pas La Rochefoucauld * qui disait que l'esprit est souvent la dupe du cœur ? Il va sans dire que je n'osai le faire remarquer à Jacques aussitôt, connaissant son humeur et le tenant

pour un de ceux que la discussion ne fait qu'obstiner
dans son sens * ; mais le soir même, ayant retrouvé,
et dans saint Paul précisément (je ne pouvais le * battre
qu'avec ses armes), de quoi lui répondre, j'eus soin de
laisser dans sa chambre un billet où il a pu * lire :
" Que celui qui ne mange pas ne juge pas celui qui
mange, car Dieu a accueilli ce dernier " (Romains xiv,
2).*

J'aurais aussi bien pu copier la suite : " Je sais et
je suis persuadé par le Seigneur Jésus que rien n'est
impur en soi et qu'une chose n'est impure que pour
celui qui la croit impure "*— mais je n'ai pas osé,
craignant que Jacques n'allât supposer, en mon esprit,
à l'égard de Gertrude, quelque interprétation in-
jurieuse, qui ne doit même pas effleurer son esprit.
Évidemment il s'agit ici d'aliments ; mais à combien
d'autres passages de l'Écriture n'est-on pas appelé à
prêter double et triple sens ?  (" Si ton œil..."*; multi-
plication des pains ; miracle aux noces de Cana, etc...)
Il ne s'agit pas ici d'ergoter ; la signification de ce
verset est large et profonde : la restriction ne doit pas
être dictée par la loi, mais par l'amour, et saint Paul,
aussitôt ensuite, s'écrie : " Mais si, pour un aliment,
ton frère est attristé, tu ne marches pas selon
l'amour."* C'est au défaut de l'amour* que nous
attaque le Malin.  Seigneur ! enlevez de mon cœur
tout ce qui n'appartient pas à l'amour...  Car j'eus
tort de provoquer Jacques : le lendemain je trouvai
sur ma table le billet même où j'avais copié le verset :
sur le dos de la feuille, Jacques avait simplement trans-
crit cet autre verset du même chapitre :  " Ne cause
point par ton aliment la perte de celui pour lequel
Christ est mort." (Romains xiv, 15.)*

Je relis encore une fois tout le chapitre.  C'est le
départ * d'une discussion infinie.  Et je tourmenterais

de ces perplexités, j'assombrirais de ces nuées, le ciel lumineux de Gertrude ? — Ne suis-je pas plus près du Christ et ne l'y maintiens-je point elle-même, lorsque je lui enseigne et la laisse croire que le seul péché est ce qui attente au bonheur * d'autrui, ou compromet notre propre bonheur ?

Hélas ! certaines âmes demeurent particulièrement réfractaires au bonheur * ; inaptes, maladroites... Je songe à ma pauvre Amélie. Je l'y invite sans cesse, l'y pousse et voudrais l'y contraindre. Oui, je voudrais soulever chacun jusqu'à Dieu. Mais elle se dérobe sans cesse, se referme comme certaines fleurs que n'épanouit aucun soleil. Tout ce qu'elle voit l'inquiète et l'afflige.

— Que veux-tu, mon ami, m'a-t-elle répondu l'autre jour, il ne m'a pas été donné d'être aveugle.

Ah ! que son ironie m'est douloureuse, et quelle vertu me faut-il pour ne point m'en laisser troubler ! Elle devrait comprendre pourtant, il me semble, que cette allusion à l'infirmité de Gertrude est de nature à particulièrement * me blesser. Elle me fait sentir, du reste, que ce que j'admire surtout en Gertrude, c'est sa mansuétude infinie : je ne l'ai jamais entendue formuler le moindre grief contre autrui. Il est vrai que je ne lui laisse rien connaître de ce qui pourrait la blesser.

Et de même que l'âme heureuse, par l'irradiation de l'amour, propage le bonheur autour d'elle, tout se fait à l'entour d'Amélie sombre et morose. Amiel * écrirait que son âme émet des rayons noirs. Lorsque après une journée de lutte, visites aux pauvres, aux malades, aux affligés, je rentre à la nuit tombée, harassé parfois, le cœur plein d'un exigeant besoin de repos, d'affection, de chaleur, je ne trouve le plus souvent à mon foyer que soucis, récriminations, tiraillements,*

à quoi mille fois je préférerais le froid, le vent et la
pluie du dehors. Je sais bien que notre vieille Rosalie
prétend n'en faire jamais qu'à sa tête * ; mais elle n'a
pas toujours tort, ni surtout Amélie toujours raison
quand elle prétend la faire céder. Je sais bien que
Charlotte et Gaspard sont horriblement turbulents ;
mais Amélie n'obtiendrait-elle point davantage en
criant un peu moins fort et moins constamment après
eux ? Tant de recommandations, d'admonestations,
de réprimandes perdent tout leur tranchant, à l'égal
des galets des plages ; les enfants en sont beaucoup
moins dérangés que moi. Je sais bien que le petit
Claude fait ses dents (c'est du moins ce que soutient sa
mère chaque fois qu'il commence à hurler), mais n'est-
ce pas l'inviter à hurler que d'accourir aussitôt, elle ou
Sarah, et de le dorloter sans cesse ? Je demeure persuadé qu'il hurlerait moins souvent si on le laissait,
quelques bonnes * fois, hurler tout son soûl quand je
ne suis point là. Mais je sais bien que c'est surtout
alors qu'elles s'empressent.

Sarah ressemble à sa mère, ce qui fait que j'aurais
voulu la mettre en pension. Elle ressemble non
point, hélas ! à ce que sa mère était à son âge, quand
nous nous sommes fiancés, mais bien * à ce que l'ont
fait devenir les soucis de la vie matérielle, et j'allais dire
la culture des soucis de la vie (car certainement Amélie
les cultive). Certes j'ai bien du mal * à reconnaître en
elle aujourd'hui l'ange qui souriait naguère à chaque
noble élan de mon cœur, que je rêvais d'associer indistinctement à ma vie, et qui me paraissait me précéder et me guider vers la lumière — ou l'amour en ce
temps-là me blousait-il * ?... Car je ne découvre en
Sarah d'autres préoccupations que vulgaires * ; à
l'instar de sa mère elle se laisse affairer * uniquement
par des soucis mesquins ; les traits mêmes de son

visage, que ne spiritualise aucune flamme intérieure, sont mornes et comme durcis. Aucun goût pour la poésie, ni plus généralement pour la lecture ; je ne surprends jamais, entre elle et sa mère, de conversation à quoi je puisse souhaiter prendre part, et je sens mon isolement plus douloureusement encore auprès d'elles que lorsque je me retire dans mon bureau, ainsi que je prends coutume de faire de plus en plus souvent.

J'ai pris aussi cette habitude, depuis l'automne et encouragé par la rapide tombée de la nuit, d'aller chaque fois que me le permettent mes tournées, c'est-à-dire quand je peux rentrer assez tôt, prendre * le thé chez Mlle de La M... Je n'ai point dit encore que, depuis le mois de novembre dernier, Louise de La M... hospitalise * avec Gertrude trois petites aveugles que Martins a proposé de lui confier ; à qui Gertrude à son tour apprend à lire et à exécuter divers menus travaux, où déjà ces fillettes se montrent assez habiles.

Quel repos, quel réconfort pour moi, chaque fois que je rentre dans la chaude atmosphère de *la Grange*, et combien il me prive * si parfois il me faut rester deux ou trois jours sans y aller. Mlle de La M... est à même,* il va sans dire, d'héberger Gertrude et ses trois petites pensionnaires, sans avoir à se gêner * ou à se tourmenter pour leur entretien ; trois servantes l'aident avec un grand dévouement et lui épargnent toute fatigue. Mais peut-on dire que jamais fortune et loisirs furent mieux mérités ? De tout temps Louise de La M... s'est beaucoup occupée des pauvres ; c'est une âme profondément religieuse, qui semble ne faire que se prêter * à cette terre et n'y vivre que pour aimer ; malgré ses cheveux presque tout argentés déjà qu'en-cadre un bonnet de guipure, rien * de plus enfantin que son sourire, rien de plus harmonieux que son geste, de plus musical que sa voix. Gertrude a pris ses manières, sa façon de parler, une sorte d'intonation, non point seulement de la voix, mais de la pensée, de tout l'être — ressemblance dont je plaisante l'une et l'autre, mais dont aucune des deux ne consent à s'apercevoir. Qu'il m'est doux, si j'ai le temps de m'attarder un peu près d'elles, de les voir, assises l'une auprès de l'autre et Gertrude soit appuyant son front sur l'épaule de son amie, soit abandonnant une de ses mains dans les siennes, m'écouter lire quelques vers de Lamartine ou de Hugo ;* qu'il m'est doux de contempler dans leurs deux âmes limpides le reflet de cette poésie ! Même les petites élèves n'y demeurent pas insensibles. Ces enfants, dans cette atmosphère de paix et d'amour, se développent étrangement et font de remarquables progrès. J'ai souri d'abord lorsque Mlle Louise a parlé de leur apprendre à danser, par hygiène * autant que par plaisir * ; mais j'admire aujourd'hui la grâce rythmée des mouvements qu'elles arrivent à faire et qu'elles ne sont pas, hélas ! capables elles-mêmes d'apprécier. Pourtant Louise de La M... me persuade * que, de ces mouvements qu'elles ne peuvent voir, elles perçoivent musculairement l'harmonie. Gertrude s'associe à ces danses avec une grâce et une bonne grâce charmantes, et du reste y prend l'amusement * le plus vif. Ou parfois c'est Louise de La M... qui se mêle au jeu des petites, et Gertrude s'assied alors au piano. Ses progrès en musique ont été surprenants ; maintenant elle tient * l'orgue de la chapelle chaque dimanche et prélude au chant des cantiques * par de courtes improvisations.

Chaque dimanche, elle vient déjeuner chez nous ; mes enfants la revoient avec plaisir, malgré que leurs goûts et les siens diffèrent de plus en plus. Amélie ne marque pas trop de nervosité et le repas s'achève sans accroc. Toute la famille ensuite ramène Gertrude et prend le goûter à *la Grange*. C'est une fête pour mes enfants que Louise prend plaisir à gâter et comble de friandises. Amélie elle-même, qui ne laisse pas d'être sensible aux prévenances, se déride enfin et paraît toute rajeunie. Je crois qu'elle se passerait désormais malaisément de cette halte dans le train fastidieux * de sa vie.

18 *mai.*

A présent que les beaux jours reviennent, j'ai de nouveau pu sortir avec Gertrude, ce qui ne m'était pas arrivé depuis longtemps (car dernièrement encore il y a eu de nouvelles chutes de neige et les routes sont demeurées jusqu'à ces derniers jours dans un état épouvantable), non plus qu'il ne m'était arrivé depuis longtemps de me retrouver seul avec elle.

Nous marchions vite ; l'air vif colorait ses joues et ramenait sans cesse sur son visage ses cheveux blonds. Comme nous longions une tourbière je cueillis quelques joncs en fleurs, dont je glissai les tiges sous son béret, puis que * je tressai avec ses cheveux pour les maintenir.

Nous ne nous étions encore presque pas parlé, tout étonnés de nous retrouver seuls ensemble, lorsque Gertrude, tournant vers moi sa face sans regards, me demanda brusquement :

— Croyez-vous que Jacques m'aime encore ?

— Il a pris son parti de * renoncer à toi, répondis-je aussitôt.

— Mais croyez-vous qu'il sache que vous m'aimez ? reprit-elle.

Depuis la conversation de l'été dernier que j'ai rapportée, plus de six mois s'étaient écoulés sans que (je m'en étonne) le moindre mot d'amour ait été de nouveau prononcé entre nous.   Nous n'étions jamais seuls, je l'ai dit, et mieux valait qu'il en fût ainsi... La question de Gertrude me fit battre le cœur si fort que je dus ralentir un peu notre marche.

— Mais tout le monde, Gertrude, sait que je t'aime, m'écriai-je.   Elle ne prit pas le change * :

— Non, non ; vous ne répondez pas à ma question.

Et après un moment de silence, elle reprit, la tête baissée :

— Ma tante Amélie sait cela ; et moi je sais que cela la rend triste.

— Elle serait triste sans cela, protestai-je d'une voix mal assurée.   Il est de son tempérament d'être triste.

— Oh ! vous cherchez toujours à me rassurer, dit-elle avec une sorte d'impatience.   Mais je ne tiens pas à être rassurée.   Il y a bien des choses, je le sais, que vous ne me faites pas connaître, par peur de m'inquiéter ou de me faire de la peine ; bien des choses que je ne sais pas, de sorte que parfois...

Sa voix devenait de plus en plus basse ; elle s'arrêta comme à bout de souffle.   Et comme, reprenant * ses derniers mots, je demandais :

— Que parfois ?...

— De sorte que parfois, reprit-elle tristement, tout le bonheur que je vous dois me paraît reposer sur de l'ignorance.

— Mais, Gertrude...

— Non, laissez-moi vous dire : Je ne veux pas d'un pareil bonheur.   Comprenez que je ne...   Je ne tiens pas à être heureuse.   Je préfère savoir.   Il y a beaucoup de choses, de tristes choses assurément, que je ne puis pas voir, mais que vous n'avez pas le droit de me laisser ignorer.   J'ai longtemps réfléchi durant ces mois d'hiver ; je crains, voyez-vous, que le monde entier ne soit pas si beau que vous me l'avez fait croire, pasteur, et même qu'il ne s'en faille de beaucoup.*

— Il est vrai que l'homme a souvent enlaidi la terre, arguai-je craintivement, car l'élan de ses pensées me faisait peur et j'essayais de le détourner tout en désespérant d'y réussir. Il semblait qu'elle attendît ces quelques mots, car, s'en emparant aussitôt comme d'un chaînon grâce à quoi se fermait la chaîne :

— Précisément, s'écria-t-elle : je voudrais être sûre de ne pas ajouter au mal.

Longtemps nous continuâmes de marcher très vite en silence. Tout ce que j'aurais pu lui dire se heurtait d'avance à ce que je sentais qu'elle pensait ; je redoutais de provoquer quelque phrase dont notre sort à tous deux dépendait. Et songeant à ce que m'avait dit Martins, que peut-être on pourrait lui rendre la vue, une grande angoisse * étreignait mon cœur.

— Je voulais vous demander, reprit-elle enfin — mais je ne sais comment le dire...

Certainement, elle faisait appel à tout son courage, comme je faisais appel au mien pour l'écouter. Mais comment eussé-je pu prévoir la question qui la tourmentait :

— Est-ce que les enfants d'une aveugle naissent aveugles nécessairement ?

Je ne sais qui de nous deux cette conversation oppressait davantage ; mais à présent * il nous fallait continuer.

— Non, Gertrude, lui dis-je ; à moins de cas très spéciaux. Il n'y a même aucune raison pour qu'ils le soient.

Elle parut extrêmement rassurée. J'aurais voulu lui demander à mon tour pourquoi elle me demandait cela ; je n'en eus pas le courage et continuai maladroitement :

— Mais, Gertrude, pour avoir des enfants, il faut être mariée.

— Ne me dites pas cela, pasteur.   Je sais que cela n'est pas vrai.

— Je t'ai dit ce qu'il était décent* de te dire, protestai-je.   Mais en effet les lois de la nature permettent ce qu'interdisent les lois des hommes et de Dieu.

— Vous m'avez dit souvent que les lois de Dieu étaient celles mêmes de l'amour.

— L'amour qui parle ici n'est plus celui qu'on appelle aussi : charité.

— Est-ce par charité que vous m'aimez ?

— Tu sais bien que non, ma Gertrude.

— Mais alors vous reconnaissez que notre amour échappe aux lois de Dieu ?

— Que veux-tu dire ?

— Oh ! vous le savez bien, et ce ne devrait pas être à moi de parler.

En vain je cherchais à biaiser * ; mon cœur battait la retraite de mes arguments en déroute.* Éperdu-ment je m'écriai :

— Gertrude... tu penses que ton amour est cou-pable ?

Elle rectifia :

— Que *notre* amour...   Je me dis que je devrais le penser.

— Et alors ?

Je surpris comme une supplication dans ma voix, tandis que, sans reprendre haleine, elle achevait :

— Mais que je ne peux pas cesser de vous aimer.

Tout cela se passait hier. J'hésitais d'abord à l'écrire...   Je ne sais plus comment s'acheva la promenade.   Nous marchions à pas précipités, comme pour fuir, et je tenais son bras étroitement serré contre moi.    Mon âme avait à ce point quitté mon corps — il me semblait que le moindre caillou sur la route nous eût fait tous deux rouler à terre.

19 mai.

Martins est revenu ce matin.    Gertrude est opérable. Roux l'affirme et demande qu'elle lui soit confiée quelque temps.    Je ne puis m'opposer à cela et, pourtant, lâchement, j'ai demandé à réfléchir.    J'ai demandé qu'on me laissât la préparer doucement...    Mon cœur devrait bondir de joie, mais je le sens peser en moi, lourd d'une angoisse * inexprimable.    A l'idée de devoir annoncer à Gertrude que la vue lui pourrait être rendue, le cœur me faut.*

Nuit du 19 mai.

J'ai revu Gertrude et je ne lui ai point parlé.    A la Grange, ce soir, comme personne n'était dans le salon, je suis monté jusqu'à sa chambre.    Nous étions seuls. Je l'ai tenue longuement pressée contre moi.    Elle ne faisait pas un mouvement pour se défendre, et comme elle levait le front vers moi, nos lèvres se sont rencontrées...

21 mai.

Est-ce pour nous, Seigneur, que vous avez fait la nuit si profonde et si belle ?    Est-ce pour moi ?    L'air est tiède et par ma fenêtre ouverte la lune entre et j'écoute le silence immense des cieux.    O confuse

adoration de la création tout entière où fond mon
cœur dans une extase sans paroles.    Je ne peux plus
prier qu'éperdument.    S'il est une limitation dans
l'amour, elle n'est pas de Vous, mon Dieu, mais des
hommes.    Pour coupable que mon amour paraisse
aux yeux des hommes, oh ! dites-moi qu'aux vôtres il
est saint.

Je tâche à * m'élever au-dessus de l'idée de péché ;
mais le péché me semble intolérable, et je ne veux point
abandonner le Christ.    Non, je n'accepte pas de pécher,
aimant Gertrude.    Je ne puis arracher cet amour de
mon cœur qu'en arrachant mon cœur même, et pourquoi ?    Quand * je ne l'aimerais pas déjà, je devrais
l'aimer par pitié pour elle ; ne plus l'aimer, ce serait la
trahir : elle a besoin de mon amour...

Seigneur, je ne sais plus...    Je ne sais plus que Vous.
Guidez-moi.    Parfois il me paraît que je m'enfonce
dans les ténèbres et que la vue qu'on va lui rendre
m'est enlevée.

Gertrude est entrée hier à la clinique * de Lausanne,
d'où elle ne doit sortir que dans vingt jours.    J'attends
son retour avec une appréhension extrême.    Martins
doit nous la ramener.    Elle m'a fait promettre de ne
point chercher à la voir d'ici-là.

22 mai.

Lettre de Martins : l'opération a réussi.    Dieu soit
loué !

24 mai.

L'idée de devoir être vu par elle, qui jusqu'alors
m'aimait sans me voir — cette idée me cause une gêne *

7

intolérable.   Va-t-elle me reconnaître ? Pour la première fois de ma vie j'interroge anxieusement les miroirs.
Si je sens son regard moins indulgent que n'était son
cœur, et moins aimant, que deviendrai-je ?   Seigneur,
il m'apparaît parfois que * j'ai besoin de son amour
pour vous aimer.

27 mai.

Un surcroît de travail m'a permis de traverser ces
derniers jours sans trop d'impatience.   Chaque occupation qui peut m'arracher de moi-même est bénie ;
mais tout le long du jour, à travers tout, son image me
suit.
   C'est demain qu'elle doit revenir.   Amélie, qui
durant cette semaine ne m'a montré que les meilleurs
côtés de son humeur et semble avoir pris à tâche de me
faire oublier l'absente, s'apprête avec les enfants à fêter
son retour.

28 mai.

Gaspard et Charlotte ont été cueillir ce qu'ils ont pu
trouver de fleurs dans les bois et dans les prairies.   La
vieille Rosalie confectionne un gâteau monumental
que Sarah agrémente de je ne sais quels ornements de
papier doré.   Nous l'attendons pour ce midi.
   J'écris pour user cette attente.   Il est onze heures.
A tout moment je relève la tête et regarde vers la route
par où la voiture de Martins doit approcher.   Je me
retiens d'aller à leur rencontre : mieux vaut, et par
égard pour Amélie, ne pas séparer mon accueil.   Mon
cœur s'élance... ah ! les voici !

Dans quelle abominable nuit je plonge !

Pitié, Seigneur, pitié !  Je renonce à l'aimer, mais, Vous, ne permettez pas qu'elle meure !

Que j'avais donc raison de craindre !  Qu'a-t-elle fait ?  Qu'a-t-elle voulu faire ?  Amélie et Sarah m'ont dit l'avoir accompagnée jusqu'à la porte de *la Grange*, où Mlle de La M... l'attendait.  Elle a donc voulu ressortir...  Que s'est-il passé ?

Je cherche à mettre un peu d'ordre dans mes pensées. Les récits qu'on me fait sont incompréhensibles, ou contradictoires.  Tout se brouille en ma tête...  Le jardinier de Mlle de La M... vient de la ramener sans connaissance à *la Grange* ; il dit l'avoir vue marcher le long de la rivière, puis franchir le pont du jardin, puis se pencher, puis disparaître ; mais n'ayant pas compris d'abord qu'elle tombait, il n'est pas accouru comme il aurait dû le faire ; il l'a retrouvée près de la petite écluse, où le courant l'avait portée.  Quand je l'ai revue un peu plus tard, elle n'avait pas repris connaissance ; ou du moins l'avait reperdue, car un instant elle était revenue à elle, grâce aux soins prodigués aussitôt.  Martins, qui Dieu merci n'était pas encore reparti, s'explique mal * cette sorte de stupeur et d'indolence * où la voici plongée ; en vain l'a-t-il interrogée ; on eût dit qu'elle n'entendait rien ou qu'elle avait résolu de se taire.  Sa respiration reste très oppressée et Martins craint une congestion pulmonaire ; il a posé des sinapismes * et des ventouses * et promis de revenir demain.  L'erreur a été de la laisser trop longtemps dans ses vêtements trempés tandis qu'on s'occupait d'abord à la ranimer ; l'eau de la rivière est glacée. Mlle de La M... qui seule a pu obtenir d'elle quelques mots, soutient qu'elle a voulu cueillir des myosotis qui croissent en abondance de ce côté de la rivière, et que, malhabile encore * à mesurer les distances, ou prenant pour de la terre ferme le flottant tapis de fleurs, elle a perdu pied brusquement... Si je pouvais le croire ! me convaincre qu'il n'y eut là qu'un accident, quel poids affreux serait levé de sur mon âme ! Durant tout le repas, si gai pourtant, l'étrange sourire, qui ne la quittait pas, m'inquiétait ; un sourire contraint que je ne lui connaissais point mais que je m'efforçais de croire celui même de son nouveau regard ; un sourire qui semblait ruisseler de ses yeux sur son visage comme des larmes, et près de quoi la vulgaire joie des autres m'offensait. Elle ne se mêlait pas à la joie ! on eût dit qu'elle avait découvert un secret, que sans doute elle m'eût confié si j'eusse été seul avec elle. Elle ne disait presque rien ; mais on ne s'en étonnait pas, car près des autres, et plus ils sont exubérants,* elle est souvent silencieuse.

Seigneur, je vous implore : permettez-moi de lui parler. J'ai besoin de savoir, ou sinon comment continuerais-je à vivre ?... Et pourtant, si tant est qu'elle * a voulu cesser de vivre, est-ce précisément pour avoir *su* ? Su quoi ? Mon amie, qu'avez-vous donc appris d'horrible ? Que vous avais-je donc caché de mortel, que soudain vous aurez pu voir ?

J'ai passé plus de deux heures à son chevet, ne quittant pas des yeux son front, ses joues pâles, ses paupières délicates recloses sur un indicible chagrin, ses cheveux encore mouillés et pareils à des algues, étalés autour d'elle sur l'oreiller — écoutant son souffle inégal et gêné.

29 *mai.*

Mlle Louise m'a fait appeler ce matin, au moment où j'allais me rendre à *la Grange*.   Après une nuit à peu près calme, Gertrude est enfin sortie de sa torpeur. Elle m'a souri lorsque je suis entré dans la chambre et m'a fait signe de venir m'asseoir à son chevet.   Je n'osais pas l'interroger et sans doute craignait-elle mes questions, car elle m'a dit tout aussitôt et comme pour prévenir toute effusion :

— Comment donc appelez-vous ces petites fleurs bleues, que j'ai voulu cueillir sur la rivière — qui sont de la couleur du ciel ?   Plus habile que moi, voulez-vous m'en faire un bouquet ?   Je l'aurai là, près de mon lit...

L'artificiel enjouement de sa voix me faisait mal ; et sans doute le comprit-elle, car elle ajouta plus gravement :

— Je ne puis vous parler ce matin ; je suis trop lasse.   Allez cueillir ces fleurs pour moi, voulez-vous ? Vous reviendrez tantôt.

Et comme, une heure après, je rapportais pour elle un bouquet de myosotis, Mlle Louise me dit que Gertrude reposait de nouveau et ne pourrait me recevoir avant le soir.

Ce soir, je l'ai revue.   Des coussins entassés sur son lit la soutenaient et la maintenaient presque assise. Ses cheveux à présent rassemblés et tressés au-dessus de son front étaient mêlés aux myosotis que j'avais rapportés pour elle.

Elle avait certainement de la fièvre et paraissait très oppressée.   Elle garda dans sa main brûlante la main que je lui tendais : je restais debout près d'elle :

— Il faut que je vous fasse un aveu, pasteur ; car ce soir j'ai peur de mourir, dit-elle.   Je vous ai menti ce matin... Ce n'était pas pour cueillir des fleurs... Me pardonnerez-vous si je vous dis que j'ai voulu me tuer?

Je tombai à genoux près de son lit, tout en gardant sa frêle main dans la mienne ; mais elle, se dégageant, commença de caresser mon front, tandis que j'enfonçais dans les draps mon visage pour lui cacher mes larmes et pour y étouffer mes sanglots.

— Est-ce que vous trouvez que c'est très mal? reprit-elle alors tendrement ; puis comme je ne répondais rien :

— Mon ami, mon ami, vous voyez bien que je tiens trop de place dans votre cœur et votre vie. Quand je suis revenue près de vous, c'est ce qui m'est apparu tout de suite ; ou du moins que la place que j'occupais était celle d'une autre et * qui s'en attristait. Mon crime est de ne pas l'avoir senti plus tôt; ou du moins — car je le savais bien déjà — de vous avoir laissé m'aimer quand même. Mais lorsque m'est apparu tout à coup son visage, lorsque j'ai vu sur son pauvre visage tant de tristesse, je n'ai plus pu supporter l'idée que cette tristesse fût mon œuvre... Non, non, ne vous reprochez rien ; mais laissez-moi partir et rendez-lui sa joie.

La main cessa de caresser mon front ; je la saisis et la couvris de baisers et de larmes. Mais elle la dégagea impatiemment et une angoisse * nouvelle commença de l'agiter.

— Ce n'est pas là ce que je voulais dire ; non, ce n'est pas cela que je veux dire, répétait-elle ; et je voyais la sueur mouiller son front. Puis elle baissa les paupières et garda les yeux fermés quelque temps, comme pour concentrer sa pensée, ou retrouver son état de cécité première; et d'une voix d'abord traînante et désolée, mais qui bientôt s'éleva tandis qu'elle rouvrait les yeux, puis s'anima jusqu'à la véhémence :

— Quand vous m'avez donné la vue, mes yeux se
sont ouverts sur un monde plus beau que je n'avais
rêvé qu'il pût être ; oui vraiment, je n'imaginais pas le
jour si clair, l'air si brillant, le ciel si vaste.  Mais non
plus je n'imaginais pas si soucieux le front des hommes ; et quand je suis entrée chez vous, savez-vous ce
qui m'est apparu tout d'abord...  Ah ! il faut pourtant
bien que je vous le dise : ce que j'ai vu d'abord, c'est
notre faute, notre péché.  Non, ne protestez pas.
Souvenez-vous des paroles du Christ : " Si vous étiez
aveugle, vous n'auriez point de péché."* Mais à
présent, j'y vois...  Relevez-vous, pasteur.  Asseyez-
vous là, près de moi.  Écoutez-moi sans m'interrompre.  Dans le temps que j'ai passé à la clinique,
j'ai lu, ou plutôt, me suis fait lire, des passages de la
Bible que je ne connaissais pas encore, que vous ne
m'aviez jamais lus.  Je me souviens d'un verset de
saint Paul,* que je me suis répété tout un jour : " Pour
moi, étant autrefois sans loi, je vivais ; mais quand le
commandement vint, le péché reprit vie, et moi je
mourus."

Elle parlait dans un état d'exaltation extrême, à voix
très haute et cria presque ces derniers mots, de sorte
que je fus gêné à l'idée qu'on la pourrait entendre
du dehors ; puis elle referma les yeux et répéta,
comme pour elle-même, ces derniers mots dans un
murmure :

— " Le péché reprit vie — et moi je mourus."

Je frissonnai, le cœur glacé d'une sorte de terreur.
Je voulus détourner sa pensée.

— Qui t'a lu ces versets ? demandai-je.

— C'est Jacques, dit-elle en rouvrant les yeux et en
me regardant fixement.  Vous saviez qu'il s'est converti ? *

C'en était trop ; j'allais la supplier de se taire, mais elle continuait déjà :

— Mon ami, je vais vous faire beaucoup de peine ; mais il ne faut pas qu'il reste aucun mensonge entre nous. Quand j'ai vu Jacques, j'ai compris soudain que ce n'était pas vous que j'aimais ; c'était lui. Il avait exactement votre visage ; je veux dire celui que j'imaginais que vous aviez... Ah ! pourquoi m'avez-vous fait le repousser ? J'aurais pu l'épouser...

— Mais, Gertrude, tu le peux encore, m'écriai-je avec désespoir.

— Il entre dans les ordres, dit-elle impétueusement. Puis des sanglots la secouèrent : Ah ! je voudrais me confesser à lui... gémissait-elle dans une sorte d'extase... Vous voyez bien qu'il ne me reste qu'à mourir. J'ai soif. Appelez quelqu'un, je vous en prie. J'étouffe. Laissez-moi seule. Ah ! de vous parler ainsi, j'espérais être plus soulagée. Quittez-moi. Quittons-nous. Je ne supporte plus de vous voir.

Je la laissai. J'appelai Mlle de La M... pour me remplacer auprès d'elle ; son extrême agitation me faisait tout craindre * mais il me fallait bien me convaincre * que ma présence aggravait son état. Je priai qu'on vînt m'avertir s'il empirait.

*30 mai.*

Hélas ! Je ne devais plus la revoir qu'endormie. C'est ce matin, au lever du jour, qu'elle est morte, après une nuit de délire et d'accablement. Jacques, que, sur la demande dernière de Gertrude, Mlle de La M... avait prévenu par dépêche, est arrivé quelques heures après la fin. Il m'a cruellement reproché de n'avoir pas fait appeler un prêtre * tandis qu'il était

temps encore.     Mais comment l'eussé-je fait, ignorant
encore que, pendant son séjour à Lausanne, pressée
par lui évidemment, Gertrude avait abjuré.*     Il m'an-
nonça du même coup sa propre conversion et celle
de Gertrude.     Ainsi me quittaient à la fois * ces deux
êtres ; il semblait que, séparés par moi durant la vie,
ils eussent projeté de me fuir et tous deux de s'unir en
Dieu.     Mais je me persuade * que dans la conversion
de Jacques entre plus de raisonnement que d'amour.

— Mon père, m'a-t-il dit, il ne sied pas que je vous
accuse ; mais c'est l'exemple de votre erreur qui m'a
guidé.

Après que Jacques fut reparti, je me suis agenouillé
près d'Amélie, lui demandant de prier pour moi, car
j'avais besoin d'aide.     Elle a simplement récité " Notre
Père... " mais en mettant entre les versets de longs
silences qu'emplissait notre imploration.

J'aurais voulu pleurer,*mais je sentais mon cœur plus
aride que le désert.

# *NOTES*

## NOTE ON THE STYLE

The style and language of *La Symphonie pastorale* differ
from what we should be likely to find in a similar context
in real life. The subtle effects which the author obtains
from his subject require the full resources of the French
language, many of which are not brought into play in everyday writing and speaking. Both style and language are,
therefore, almost without exception, literary.

The Past Historic (Preterite) is used as the staple narrative tense. On occasion it is even used in reported conversation or to narrate events that have occurred the same day.
But sometimes the Past Indefinite (Perfect) or the Imperfect
(Past Continuous) are used where we might have expected
the Past Historic; or the sequence of tenses in subordinate
clauses may seem unusual. In such cases some subtlety
of meaning or attitude is often implied.

It should be remembered too that the author is fully
conscious of the history of the French language, and in
particular just as familiar with the language of seventeenth-century literature as with that of his own day.
Sometimes he uses a construction or word no longer current;
or he may use a current word in a sense it has lost. Usually
it will be found that such words or constructions are introduced either to enrich the sense by implying a possible
second meaning, or in the interests of precision, economy,
balance or euphony.

In a more general way, it is important to note that Gide
cultivates a deliberately ambiguous style which in *La
Symphonie pastorale* enables him to convey the disparity
between the *pasteur*'s thought and the reality that underlies
it. When, for example, the *pasteur* writes *je me persuadai*
(p. 36, l.20) to express the idea of *je jugeai*, or uses the
archaic phrase *il m'apparaît que* . . . (p.62, l.5) instead
of *il me semble que* . . . , the choice of words betrays more
perhaps than he realizes. The Notes which follow are
primarily intended to draw attention to what might escape
the English reader; it should not be assumed that the meaning of the French text is necessarily limited to that of the
English equivalents suggested.

71

*(The figures refer to pages.)*

**P. 1.** **célébrer le culte :** ' hold the service.'  The writer of the two *cahiers* which make up *La Symphonie pastorale* is a *pasteur* (Protestant minister).

**La Brévine :** small Swiss village high in the Jura Mountains.  Fifteen miles west of Neuchâtel, it is close to the border of France.  The temperature often drops to 20 below (Fahrenheit).

**que me vaut cette claustration forcée :** ' afforded me by this enforced confinement.'

**comme je remontais :** the rest of the paragraph makes it clear that this imperfect has almost the value of a pluperfect ( = ' I had just got back when ').  *Cf.*, for example, *il revient de Paris* (' he is just back from Paris '), in which, although the action of ' getting back ' is complete, the person concerned has not yet settled down at the point of arrival.

**la Chaux-de-Fonds :** Swiss village nine miles northwest of Neuchâtel, at the foot of a narrow gorge in the Jura Mountains; it is one of the principal centers of the watch-making industry.

**se mourait :** *se mourir* (used only in the present and the imperfect indicative) presents the idea of ' dying ' less bluntly than the more matter-of-fact *mourir* ; ' lay dying.'

**les entours :** a less common equivalent of *les alentours* ( = ' the surroundings ').

**commune :** in France the *commune* is the smallest unit of local administration, presided over by a *maire* chosen, and assisted in his duties, by an elected *conseil municipal*. Its size may vary from that of a small village to that of a large town.  The terminology is similarly used in Switzerland.

**passé la ferme :** past participles which have come to be used with prepositional force do not agree when placed before the noun.  The full sense is *une fois la ferme passée*.

**P. 2.** **j'avais été :** this use of the compound tenses of *être* in place of the corresponding tenses of *aller* is very common in conversation and not infrequent in formal writing. The effect is generally to concentrate attention on the place visited rather than on the action of ' going.'

**pastoral** : the adjective corresponding to *pasteur*.

**il** : *i.e.*, the lake mentioned on p. 1, last line.

**en** : refers to the lake.

**bleuissant dans l'ombre, puis blondissant dans l'or du ciel** : ' showing blue in the darkness, then golden brown against the golden sky.'

**heure** : ' hour ' in the sense of ' occasion.'

**transi** : has the sense of ' chilled through ' (with cold or fear) ; here perhaps ' filled with awe.'

**inhumation** : ' burial ' ; more restricted in scope than *enterrement*, which would generally include the idea of *la cérémonie funèbre* mentioned immediately afterwards.

**pays** : not the country (Switzerland), but ' locality ' ; *pays perdu* : ' out-of-the-way place.'

P. 3.  **c'est à quoi la famille se réduit** : ' that is the whole family.'

**brutales** : ' rough,' or perhaps merely ' blunt.'

**quiconque** : this use of *quiconque* after a preposition (in the sense of ' anybody ') is now fairly widespread, but not generally considered correct, *qui que ce soit* being preferred. It should be remembered that the *pasteur* is here reporting the words of *la voisine*.

P. 4.  **instruite à** : *instruire* is evidently used here in the sense of ' to arrange,' ' to equip,' a meaning frequently carried by the Latin original *instruere* ; ' designed to.'

**involontaire** : not ' unwilling,' but ' devoid of will,' ' lifeless.'

**où elle devait reposer d'ordinaire** : ' where no doubt she usually slept.'

**paquet** : ' bundle ' ; *cf.* the colloquial phrase *un paquet de nerfs*.

P. 5.  **veille** : here, the state of being awake, ' waking.'

**Hôtesse de ce corps opaque** : ' A dweller within this opaque body.'

**attend ... que vienne** : ' is waiting for ... to come ' ; the inversion preserves the balance of the sentence.

**votre** : in general, French Protestants address the Deity, or the Savior, as *tu*. Gide's own practice in his *Journal* shows some variation, *tu* predominating in the early years ; but in the few years immediately preceding the writing of *La Symphonie pastorale* he uses *vous* exclusively.

**qui tient à ne pas aller au delà, non plus qu'à rester en**

**deça du devoir :** ' who is eager not to go beyond, any more than to fall short of, her duty.'

**De quoi encore est-ce que tu as été te charger ? :** ' What more have you gone and taken on yourself ? '

**que j'eusse pu :** this alternative form of the past conditional (*que j'aurais pu*) is often used in literary style.

P. 6. **dont :** refers to *ma femme*.

**contre :** *lutter*, when it takes a complement, is regularly followed by *contre* ; *l'emporter* by *sur*. Here *contre*, for economy, seems to serve for both prepositions ; though it is possible to regard *contre* as depending solely on *lutter*, and *l'emporter* as being used without complement.

**imbu de :** ' steeped in,' ' full of ' ; hence, here, ' under the influence of.'

**la brebis perdue :** the parable of the lost sheep is recorded in Luke xv, 4–7, and Matthew xviii, 12–14.

**surraisonnable :** derives its sense from the proximity of *déraisonnable* ; ' supra-reasonable ' — *i.e.*, what transcends the reasonable.

P. 7. **à mon gré :** here ' to my mind,' ' to my way of thinking.'

**que :** ' only ' ; the negative sense is understood from the preceding *ne . . . pas*.

**de l'avant :** *aller de l'avant* : ' to push ahead.'

**résistance :** ' staying power.'

**elle en avait " son compte " et qu'elle se sentait à bout :** ' she had " had enough " and that she had reached the breaking-point.'

**que :** refers back to *quelques paroles*.

**argua de sa fatigue :** ' pleaded her weariness.'

P. 8. **sur qui :** an indeterminate antecedent (*personne*) is understood ; *cf.* the use of *de quoi* in, for example, *il a de quoi vivre*.

**ne l'y pouvoir plus souvent seconder :** *l'y* belongs properly to *seconder*, but such transpositions occur frequently in seventeenth-century literature, and are fairly common today in literary style.

**disposé de sa volonté par surprise :** ' engaged her consent without consulting her.'

**la partie :** literally ' the game ' ; here perhaps ' the cause.'

**irritation :** often stronger than the English ' irritation ' ' annoyance ' would render the sense better.

**rebondit :** in the sense of ' leapt up again.'

**de plus belle :** ' worse (higher) than ever.'

**s'avisa de :** 'became aware of.'

**c'est une infection :** generally used to mean 'what a stench !' ; here refers to Gertrude's state — *e.g.*, 'the child's filthy.'

**peuplée :** *peupler* has a much wider range of meaning than the English 'to people, to populate' ; here perhaps 'infested.'

P. 9.   **constance :** in the sense of 'firmness of mind,' 'fortitude.'

P. 10.  **eu curiosité :** = *été curieuse* ; *eu la curiosité de* would have had a different sense.

**donné le change :** 'misled.' The underlying idea is that of being 'put on the wrong scent (track).'

**d'avoir jamais vu son empêchement si épais :** 'ever having seen it form so compact an obstacle.'

**résistance :** see note to p. 7, l. 23.

P. 11.  **Mais autre chose est d'avoir à se reposer sur Dieu ou à se décharger sur autrui :** 'But it is one thing to have to rely on God and quite another to have to unload one's responsibility on someone else.'

**déjà :** looks forward to the next sentence. The point is that the cutting of the hair, by no means the most unpleasant task, was in itself a source of *dégoût*.

**pris son parti de :** 'resigned herself to.'

**à Sarah :** the use of *à* for *de* in phrases of this kind is normally found only in popular speech ; here the phrase seems to be elliptical, *appartenant* being understood.

**tout un roman :** literally 'a whole romance,' though 'quite a romance' might be more idiomatic. The sense is that the *pasteur*'s preconception of Gertrude's *éducation* has been unrealistic.

**éducation :** refers to general moral training (upbringing), though the intellectual element is not necessarily excluded.

**en :** is idiomatic here ; *en rabattre* has the sense of 'to climb down,' 'to draw in one's horns.'

P. 12.  **pour peu que :** 'if ... merely,' hence 'as soon as,' 'the instant (that).'

**c'est :** this *c'est* is grammatically superfluous, but it avoids the stiffness of a *que* isolated between commas and the cacophony of *piquant, que*.

**devenait à charge :** 'was becoming a burden.'

**le Val Travers :** a highly picturesque valley thirteen miles west southwest of Neuchâtel. Travers itself is a village of 2000.

**P. 13. les premiers linéaments :** ' the basic outlines.'

**ne cherche pas d'aller :** *chercher* is normally followed by *à*.

**philosophie :** the *classe de philosophie* is the highest grade in French secondary schools ; it follows the *classe de première* and, by a course which includes psychology, ethics, logic, and metaphysics, prepares for the second part of the *baccalauréat* examination. *Faire sa philosophie* is to take this course as a member of such a class.

**Condillac :** Étienne Bonnot de Condillac (1715–80), a French philosopher whose writings include the *Traité des Sensations* (1754). In this work he seeks to prove that sensory impressions are the source of all mental and spiritual activity, and that the ' self ' is simply the sum of a person's past and present *sensations*. To enable him to expound his theory, Condillac asks us to imagine a statue " organisée intérieurement comme nous et animée d'un esprit privé de toute espèce d'idées," but whose marble exterior prevents him for the moment from using any of his senses. Condillac goes on to allow his *statue animée* to use first the sense of smell, then the other senses in succession, and shows how the sensory impressions received combine to produce such activities as imagination, judgment, reasoning, volition, and desire.

**déshéritée :** ' handicapped.'

**je me faisais l'effet de :** ' I felt like.'

**P. 14. s'étonnant à qui mieux mieux ... que :** ' vying with each other in marveling ... that.'

**front :** ' impudence.'

**l'admettre :** here, ' to assume.'

**entends :** in the sense of ' intend,' ' mean.'

**sur quoi :** = *sur lesquels*, referring to *le désordre et le péché*.

**et tout à la fois :** *auxquels* is understood after *et* ; if it had been inserted the significance of *tout à la fois* would have been less clear.

**P. 15. *Fortunatos nimium si sua bona norint* :** line 458 in the second of Vergil's *Georgics* is translated : ' Too happy did they but know their blessings.' The doctor would change this to : ' Too happy if they might remain ignorant of evil (*si sua mala nescient*).'

**Le Grillon du Foyer :** *The Cricket on the Hearth* (1845), the third of Dickens' Christmas Books.

**je l'atteste :** the *l'* refers to *que je n'en ai conservé*, etc. **immédiatement à la suite de la parabole sur la brebis égarée :** in Matthew xviii, 15–17 : " Moreover if thy brother shall trespass against thee, go and tell him his fault between thee and him alone : if he shall hear thee, thou hast gained thy brother."

P. 16. **qu'elle prétendait ... qui :** a construction common in the seventeenth century, but less used in modern French.

**attendait ... après moi :** a colloquial construction ; ' was awaiting my attention.'

**distrayais :** in the sense of ' setting aside,' ' diverting.'

**J'ai souvent éprouvé :** ' it has often been my experience.'

**Et ces mots : " Si un homme a cent brebis ... " :** " If a man have an hundred sheep, and one of them be gone astray, doth he not leave the ninety and nine, and goeth into the mountains, and seeketh that which is gone astray ? " (Matthew xviii, 12.)

P. 17. **" cette brebis, si le pasteur la trouve ... " :** " And if so be that he find it, verily I say unto you, he rejoiceth more of that sheep, than of the ninety and nine which went not astray." (Matthew xviii, 13.)

**visage de statue :** see note to p. 13, l. 16 (Condillac).

**s'animèrent :** italicized to bring out the basic sense of ' come to life,' ' quicken.'

**désigne :** in the basic sense of the Latin *designare* ' to mark out.'

**sort :** used transitively here.

**la piscine de Bethesda :** the pool of Bethesda by the sheep market in Jerusalem which figures in John v, 2–9 : " For an angel went down at a certain season into the pool, and troubled the water : whosoever then first after the troubling of the water stepped in was made whole of whatsoever disease he had."

**Autant ce premier résultat avait été difficile à obtenir, autant les progrès sitôt après furent rapides :** ' However difficult this original result had been to achieve, the immediately succeeding progress was just as rapid.'

P. 18. **toujours me suivait :** *me suivait toujours* would have been ambiguous.

P. 19. **toi :** note that the *pasteur* addresses Gertrude as *tu*, but that Gertrude uses the less intimate *vous*. The same convention, still sometimes found in French families, exists between the *pasteur* and his son Jacques.    Charlotte seems to be exempt (*cf.* p. 9, l. 33), no doubt because of her age.

**me forçait de** : when used actively *forcer* is usually followed by *à*.

P. 20. **me reconnaître** : 'getting my bearings,' 'finding my way about.'

**sur** : 'in' ; *la commune* is considered as an area to be covered.

**la commune** : see note to p. 1, l. 23.

**la réduire** : 'to set it.'

**garder la maison** : 'stay at home.'

P. 21. **s'occupa de** : 'gave his attention to,' almost 'did what he could to' ; *s'occuper à* is simply 'to spend one's time' (doing something).

**elle** : refers to *cette intelligence* ; but the next *elle* refers to Gertrude.

**J'admire** : 'I wonder at.'

**imager** : usually 'to adorn with images' ; Gertrude conveyed her ideas with the help of images borrowed from . . . etc.

**plaisante** : evidently intended in the older sense of 'pleasing' ; perhaps 'charming' or 'delightful.'

**des objets** : depends on *s'aidant*.

**télémétreurs** : 'telemetrists.' A telemeter (*télémètre*) is an instrument used in surveying for measuring the distance of an inaccessible object.

**échelons** : in the figurative sense of 'steps.'

**appelé** : 'induced,' 'led.'

**où** : = *dans lequel*.

**la qualité de la nuance** : the intrinsic nature of the shade (as color).

P. 22. **" la valeur "** : 'the value' — *i.e.*, the extent to which the shade is light or dark.

**intriguait** : 'puzzled.'

**il me fut donné** : 'I had the opportunity.'

**graves** : in the musical sense of 'low-pitched.'

P. 23. **débris** : 'scrap.'

**où** : = *auxquelles*.

**ceci de bien** : *bien* is used adjectivally after the partitive *de* depending on *ceci* ; 'this good point.'

**données** : 'facts' — *i.e.*, 'versions of the facts.'

**gêne** : used in a sense nearer than usual to the original one of 'torture' ; perhaps 'worry.'

**expérimentais sans cesse :** ' was constantly finding out '
(by experiment).

*Symphonie Pastorale :* Beethoven's Sixth Symphony,
generally called the Pastoral Symphony.

P. 24. **"** *scène au bord du ruisseau* **:":** the second movement of the Pastoral Symphony is entitled " By the
Brook."

**bien :** adds emphasis to *mais ;* ' but rather.'

**pesait :** in the sense of ' pressed heavily,' ' hung.'

**savoir :** in the sense of ' managing.'

**je l'ai senti :** the *l* ' anticipates the next clause ; a
construction often used in conversation.

P. 25. **chercher à m'en faire accroire :** ' try to delude me.'

**ça :** colloquial for *il.*

**ça ne prendrait pas :** ' it wouldn't work.'

**partie :** *une partie* would be more usual.

**dit :** the past participle does not agree, for *fois* is not in
the full sense the object of *dit* (contrast p. 31, l. 16).

P. 26. **laisser faire :** *i.e.,* saying nothing beforehand.

**l'ayant :** depends on *obtins* below.

P. 27. **libre de mon temps :** simply ' free.'

**requis :** ' in request.'

**lorsqu'elle disposerait :** ' even if she had . . . at her
disposal.'

**idée :** ' mind ' ; ' it would never have occurred to her.'

**rétréci :** ' reduced the scope of.'

P. 28. **on dirait qu' :** ' it is as though.'

**de reste :** ' only too well.'

**" celui qui est fidèle dans les petites choses le sera aussi
dans les grandes " :** " He that is faithful in that which
is least is faithful also in much." (Luke xvi, 10.)

**surtout :** ' more often than not.'

**le grief . . . précise :** the sense is that Amélie preferred to
vent her vague and imaginary grievance rather than make
any definite and legitimate complaint.

**" N'ayez point l'esprit inquiet " :** " Neither be ye of
doubtful mind."

P. 29. **C'est aussi que :** introduces a further explanation (in
view of the reader's surprise) : ' And then, her progress
really was . . . '

**il ne paraissait plus que :** ' there was no longer any sign
that ' — hence the indicative *avait.*

**que . . . dissipe :** ' whose time is frittered away by.'

**meilleure :** used qualitatively ; 'the most valuable (part of).'

**prétendît :** in the archaic sense of 'intended,' 'was resolved to.'

P. 30. **avant que d' :** an archaic form of *avant de*.

P. 31. **tribune :** the gallery, not the pulpit (in lofty style *la tribune sacrée*), or the organ-loft (*la tribune d'orgues*).

**déjà :** 'in itself.'

**direction :** 'guidance.'

**je ne faisais que d'entrer :** 'I had only just come in' ; not to be confused with *ne faire que* + infinitive, which means 'to be merely' (doing something).

P. 32. **studieusement :** 'in study.'

**devant que de :** an expression originally synonymous with *avant (que) de* and now archaic ; perhaps intended here to imply the sense of "faced with having to.'

**qu'il choisissait :** *choisir* is used here as, often, *préférer* is used, to denote a state rather than an action, 'who was his choice as,' 'his chosen.'

**se fermât à moi :** *cf. s'ouvrir à quelqu'un.*

**fis un grand effort sur moi-même :** 'made a great effort of self-control.'

**en peine de :** 'at a loss to.'

**l'Oberland :** the mountainous range in the canton of Bern, Switzerland, which includes peaks such as the Jungfrau.

P. 33. **Vous vous méprenez étrangement :** 'you are sadly mistaken.'

P. 34. **plus :** 'the more' ; follows from *à mesure que*.

**irrité :** 'annoyed' rather than 'irritated.'

P. 35. **en :** 'for that.'

**sûr :** in the sense of 'infallible.'

**communié :** *i.e.*, received Holy Communion (for the first time) ; the most usual (though technically inexact) equivalent would be 'been confirmed.'

P. 36. **je me persuadai :** 'I told myself,' 'I came to the conclusion.'

**j'étais sensible à :** 'I appreciated.'

**m'en affecter :** 'take it to heart.'

**au premier :** *i.e., au premier étage.*

P. 37. **des miens :** 'of my family.'

**parloir :** 'parlor,' a room in which to receive visitors privately — for example, in a convent or school.

**le Lieu saint :** ' the Sanctum.'

**tout à la fois :** links together *qu'ils conduisent* and *qui les conduit.*

**remarquer :** almost in the sense of *faire remarquer* which would, however, have presupposed the existence of a reader.

**avec :** *pour* would be more usual ; *avec* adds the idea ' when she is with her.'

**devant que de :** see note to p. 32, l. 8.

**coups de sonde :** not ' casts of the lead ' (for measuring depths of water), but ' taps ' which reveal the solidity of the wall ; *sonder un mur* involves judging from the sound whether the wall is hollow or not.

**cloison séparatrice :** *cloison* by itself has the sense of ' dividing wall,' ' partition ' ; *séparatrice* adds the idea of ' cutting us off from each other.'

P. 38. **par quoi :** = *par lequel*, referring to *sourire.*

**passant outre :** ' disregarding it (I went on).'

**saisis au bond la phrase :** *saisir la balle au bond* means, in its figurative sense, ' to seize the opportunity.'

P. 39. **heureux que :** *i.e.*, *je suis heureux que.*

**pressentir :** ' to sound,' ' to find out what ... thinks about it.'

**en dehors de nous :** ' without our knowledge.'

**seulement :** ' even ' ; modifies *connaît.*

P. 40. **mystère :** ' mysteriousness.'

**et ce jour-là je compris seulement :** ' all I understood that day was.'

P. 41. **découvre :** the subject is *le regard.*

**un plein jour d'été :** seems to combine the senses of ' the height of a summer's day ' and (by transposition of the epithet) ' a day in high summer.' Like thirst in the cool of the evening, the distant Alps will melt away in the rising mists.

**lys :** biblical or archaic spelling of *lis.*

P. 42. **les lys des champs :** here and 5 lines below the reference is to Matthew vi, 28 : " Consider the lilies of the field."

**pour qu'il le dise :** ' for Him to say so.'

**" Et je vous dis en vérité ... " :** " And yet I say unto you that even Solomon in all his glory was not arrayed like one of these." (Matthew vi, 29.)

P. 43. **goût :** ' tang.'

**est-ce :** colloquial for *est-il.*

P. 44. **lui répondre :** ' be a suitable partner for him.'

P. 45. **me penchait :** ' inclined me,' ' drew me ' ; *pencher* is not normally used transitively in this figurative sense.

**entraînement :** ' inclination of the heart.'

P. 46. **transcrivant :** *i.e.*, from the *pasteur*'s memory into his diary.

**courbe :** ' weighs down.'

**dans une disposition d'esprit toute pareille :** ' in the same state of mind ' (as when he took part in the conversations).

**affectant :** not ' feigning,' but rather ' making a point of ' ; *cf.* l. 20.

**avait été :** see note to p. 2, l. 1.

**communion :** *cf.* note to p. 35, l. 23.

**la Table Sainte :** ' the Lord's Table,' ' the communion table ' ; *i.e.*, Jacques did not partake of Holy Communion.

P. 47. **de sorte que je fusse :** the subjunctive does not imply any sense of purpose in *de sorte que*, but reflects the *pasteur*'s satisfaction. So far as the mood is concerned, *fusse* depends, through *ne pût y voir*, on *je me félicitais*.

**poids :** in a figurative sense ; *e.g.*, ' burden.'

**désaveu :** ' repudiation ' (of the *pasteur*'s conduct) — *i.e.*, ' disapproval.'

**considérer :** ' contemplate.'

**et :** connects the relative clause with the adjective *autres*.

**proprement :** ' exactly.'

**traditionaliste et dogmatique :** in these special senses, a *traditionaliste* is one who relies on accepted interpretations of the Bible, while a *dogmatique* accepts as final the dogmas of organized Christianity. Both terms suggest a fear that Jacques is inclining towards Roman Catholicism.

P. 48. **contrainte :** ' coercion.'

**cette parole :** " Except ye be converted, and become as little children, ye shall not enter into the kingdom of heaven." (Matthew xviii, 3.)

P. 49. **cette parole :** " If ye were blind, ye should have no sin." (John ix, 41.)

**" Dieu est lumière . . . " :** " God is light, and in him is no darkness at all." (I John i, 5.)

**" Je suis la lumière du monde . . . " :** " I am the light of the world : he that followeth me shall not walk in darkness, but shall have the light of life." (John viii, 12.)

"Le péché a pris de nouvelles forces par le commandement" : "that sin by the commandment might become exceeding sinful." (Romans vii, 13.)

P. 50. je me persuade : 'I tell myself.'

malgré que : this conjunction ('despite the fact that') is generally considered incorrect, but Gide has defended it elsewhere.

La Rochefoucauld : François de La Rochefoucauld (1613–80) wrote the most famous collection of *Maximes* in French.

P. 51. que la discussion ne fait qu'obstiner dans son sens : 'whom discussion (argument) only makes more obstinate in their opinions.' *Obstiner* is transitive here.

le : *i.e.*, Jacques.

a pu : had the *pasteur* known at exactly what time Jacques read the note, he might have written *put* in conformity with the tense of the principal verbs of the sentence.

"Que celui qui ne mange pas . . ." : "Let not him which eateth not judge him that eateth : for God hath received him." (Romans xiv, 3.)

"Je sais et je suis persuadé par le Seigneur Jésus . . ." : "I know, and am persuaded by the Lord Jesus, that there is nothing unclean of itself : but to him that esteemeth any thing to be unclean, to him it is unclean." (Romans xiv, 14.)

"Si ton œil . . ." : "And if thy right eye offend thee, pluck it out and cast it from thee." (Matthew v, 29.)

"Mais si, pour un aliment . . ." : "But if thy brother be grieved with thy meat, now walkest thou not charitably." (Romans xiv, 15.)

au défaut de l'amour : 'in the flaw in our love.' This expression, probably original with Gide, is suggested by the familiar *défaut de l'armure* which means "chink in the armor."

"Ne cause point par ton aliment . . ." : "Destroy not him with thy meat, for whom Christ died." (Romans xiv, 15.)

départ : *i.e.*, *point de départ*.

P. 52. attente au bonheur : 'interferes with the happiness.'

réfractaires au bonheur : 'unwilling to accept happiness.'

particulièrement : would normally follow the infinitive.

Amiel : Henri-Frédéric Amiel (1821–81), the Swiss

writer, is known chiefly for his very introspective *Journal*.

**tiraillements** : ‘ bickerings.’

P. 53. **prétend n’en faire . . . qu’à sa tête** : *en faire à sa tête =* ‘ to do as one pleases,’ ‘ to have one’s own way.’ *Prétendre* is used here and in l. 5 in the sense of ‘ to claim ’ (the right to).

**bonnes** : in the colloquial sense ; *cf. une bonne fois pour toutes.*

**mais bien** : ‘ but rather.’

**bien du mal** : ‘ great difficulty.’

**blousait** : (colloquial) ‘ deceived,’ or, since ‘ love ’ is the subject, ‘ blinded.’

**d’autres préoccupations que vulgaires** : *que* relates *autres* and *vulgaires*, hence the omission of *de* before *vulgaires.*

**se laisse affairer** : ‘ allows her time to be taken up ’ ; *cf. s’affairer* (= ‘ to bustle about ’).

P. 54. **prendre** : depends on *aller.*

**hospitalise** : ‘ has been caring for.’

**combien il me prive** : ‘ how deprived I feel.’

**à même . . . d’** : ‘ in a position to.’

**se gêner** : ‘ go short,’ ‘ deprive herself.’

**se prêter** : in the literal sense ; the idea is that Louise de La M . . . seemed really to belong to another world.

**rien** : *i.e., il n’y a rien.*

P. 55. **Lamartine . . . Hugo** : Alphonse de Lamartine (1790–1869) and Victor Hugo (1802–85), among the chief poets of the French Romantic Movement.

**par hygiène** : ‘ on health grounds ’ — *i.e.,* ‘ for the sake of their health.’

**par plaisir** : to balance *par hygiène ;* ‘ for the pleasure it would give them.’

**me persuade** : hardly stronger than ‘ tells me ’ or ‘ assures me.’

**amusement** : suggests pleasure and interest.

**tient** : *tenir l’orgue =* ‘ to be at the organ.’

**cantiques** : ‘ hymns.’ *Un cantique* is a hymn sung in the vernacular (*i.e.,* French) ; *une hymne* is sung in Latin.

P. 56. **train fastidieux** : ‘ dull routine.’

**puis que** : = *et qu’ensuite ; puis* has a double function here.

**pris son parti de** : ‘ resigned himself to.’

P. 57  **ne prit pas le change** : *i.e.*, she was not to be led away from the point ; *cf. donner le change.*
reprenant : 'taking up.'

P. 58.  **qu'il ne s'en faille de beaucoup** : 'that it is far from being so.'
angoisse : not quite the same as 'anguish' ; *angoisse* often (as here) carries the idea of a deeply felt dread of the future.
à présent : 'having got so far.'

P. 59.  **décent** : 'proper.'
biaiser : 'evade the point.'
mon cœur battait la retraite de mes arguments en déroute : 'the beating of my heart sounded the retreat for my routed arguments.'

P. 60.  **angoisse** : see note to p. 58, l. 17.
faut : from *faillir*, 'to fail.'

P. 61.  **tâche à** : *tâcher* is usually followed by *de*. The construction with *à* emphasizes the difficulties involved in the attempt.
quand : *quand* and conditional = 'even if.'
clinique : 'nursing home.'
gêne : in the older sense of 'torment.'

P. 62.  **il m'apparaît ... que** : an archaic equivalent of *il me semble que.*

P. 63.  **s'explique mal** : 'has difficulty in accounting for.'
indolence : 'apathy.'
sinapismes : 'mustard plasters.'
ventouses : 'cupping glasses.'

P. 64.  **malhabile encore** : 'as yet unaccustomed.'
et plus ils sont exubérants : 'and the more demonstrative (the merrier) they are' ; the second term of the *plus ... plus* construction is understood ('the more likely she is to be silent ').
si tant est qu' : 'if indeed.'

P. 66.  **et** : by linking *autre* with the following adjectival clause, *et* has the value of making two points of what would otherwise have been a single thought.
angoisse : evidently in the medical sense of 'spasm' ; but the idea of anxiety is also implied.

P. 67.  **" Si vous étiez aveugles, vous n'auriez point de péché "** : " If ye were blind, ye should have no sin." (John ix, 41.)
verset de saint Paul : " For I was alive without the law once : but when the commandment came, sin revived,

and I died." (Romans vii, 9.)

**converti :** *i.e.*, to Roman Catholicism.

P. 68. **tout craindre :** 'fear the worst.'

**il me fallait bien me convaincre :** 'I had to recognize.'

**prêtre :** *i.e.*, Roman Catholic priest to administer the last Sacrament.

P. 69. **abjuré :** *i.e.*, renounced Protestantism.

**à la fois :** 'together.'

**je me persuade :** 'I tell myself.'

**J'aurais voulu pleurer :** Some editions of this work have the word *prier* instead of *pleurer* here. But both the first edition and the manuscript, preserved in the Bibliothèque Jacques Doucet in Paris, read *pleurer*.

# *VOCABULARY*

This vocabulary does not include words identical, or very nearly identical, in form and meaning in French and English, nor does it include articles and cardinal numbers. The vocabulary has been prepared with the assistance of Dr. Judd Hubert of Harvard University.

# A

**à** *prep.* to, with, at

**abandon** *m.* neglect

**abandonner** to abandon, leave

**abîme** *m.* chasm, abyss

**abjurer** to renounce one's faith

**abominable** loathsome, detestable

**abondamment** plentifully

**abondance** profusion, abundance

**abord : d'—** at first

**aborder** to discuss, touch on

**aboutir** to reach, achieve, arrive (at)

**abriter** to shield, hide, conceal

**absente** *f.* the departed, the absent one

**absolu** utter, absolute

**absolument** absolutely, entirely

**absorber** to consume, absorb

**abstenir : s'— de** to refrain from, keep from, refuse to

**abstention** *f.* refusal

**abuser de** to take advantage of

**accablement** *m.* exhaustion, prostration

**accent** *m.* insistence, emphasis

**accepter** to accept

**accident** *m.* mishap, accident

**accommoder : s'— de** to put up with

**accompagnement** *m.* accompaniment (musical)

**accompagner** to follow, accompany

**accomplir** to perform, do, accomplish

**accorder** to grant, pay

**accoté** close to, huddled against

**accouder : s'— à** to rest one's elbows on, lean on

**accourir** to hurry, run, hasten

**accroc** *m.* difficulty, impediment

**accroire : faire —** to make one believe

**accroissement** *m.* increase, growth

**accroupi** crouched

**accroupir : s'—** to crouch

**accueil** *m.* welcome, greeting, receptivity

**accueillir** to welcome

**accusateur** *adj.* reproachful, accusing

**accuser** to blame, accuse

**acheter** to buy, purchase

**achever** to complete, finish ; **s'—** to be finished, ended

**acquitter : s'— de** to discharge a debt, perform, execute

**acte** *m.* act, deed, action

**action** *f.* task, accomplishment

**admettre** to concede, admit, assume

**admirable** worthy, excellent

**admirablement** wonderfully, admirably

**admirer** to wonder at, admire

**admonestation** *f.* reproof

**adresser** to speak to, address

**advenir** to occur, happen

**affaiblir : s'—** to grow weak

**affaire** *f.* business, matter, affairs ; **avoir** — **à** to deal with

**affairer** : **se laisser** — to let oneself be busied ; **s'**— to bustle about

**affectation** *f.* artificiality, affectation

**affecter** to pretend, feign, make a point ; **s'**— to be touched, moved

**affection** *f.* love, affection, sympathy

**affectueusement** kindly, affectionately

**affectueux** kind, warmhearted

**affirmer** to assert, bear out, confirm

**affliger** to grieve, distress

**affligés** *m. pl.* the afflicted

**affreux** frightful

**âgé** old, aged

**agenouillé** kneeling

**agenouiller** : **s'**— to kneel down

**aggraver** to worsen, aggravate

**agir** to act, conduct oneself ; **s'**— **de** to concern

**agitation** *f.* restlessness

**agiter** to shake, agitate, move

**agrémenter** to adorn, trim

**aide** *f.* help

**aider** to help

**aigreur** *f.* bitterness

**aigu** shrill, high

**aile** *f.* wing

**aimant** loving

**aimer** to like, love

**aîné** *m.* elder (brother)

**ainsi** thus ; **pour** — **dire** so to speak ; — **que** as

**air** *m.* tone, manner

**aisance** *f.* comfort, ease

**aisé** easy

**aisément** simply, easily

**ajouter** to add, continue

**algue** *f.* seaweed

**aliment** *m.* sustenance, food

**aller** to go, pass ; — **s'épaississant** to be steadily thickening

**allumer** to light, illuminate

**allure** *f.* character, turn, appearance

**allusion** *f.* mention, allusion

**alors** then ; **et** — **?** well ?, what then ?

**alpenstock** *m.* climber's cane (*German*)

**alternativement** alternately

**âme** *f.* soul

**amener** to bring, lead

**amer** bitter

**ami** *m.*, **amie** *f.* friend ; **mon** — my friend *or* my dear

**amortir** to deaden, lessen

**amour** *m.* love

**amoureux** loving

**amusement** *m.* pleasure, delight

**an** *m.* year

**analogue** similar, like, analogous

**ancien** old, worn out, former

**ange** *m.* angel

**angélique** saintly, angelical

**anglais** English

**angoisse** *f.* anxiety, anguish, pang, dread

**animé** animate, having a soul

**animer** : **s'**— to come to life

**animosité** enmity, hatred

**année** *f.* year

**annoncer** to declare, announce

**anthologie** *f.* anthology

**antiévangélique** opposed to the spirit of the Gospel

**anxieusement** fearfully, anxiously

**août** *m.* August

**apaiser** to quiet

**apercevoir :** **s'—** to notice

**Apocalypse** Apocalypse

**apparaître** to be revealed, appear

**apparence** *f.* appearance, aspect

**appartenir** to belong

**appel :** **faire — à** to call for aid, invoke

**appeler** to call, summon

**appliquer** to apply ; **s'—** to apply oneself

**apprécier** to value, judge

**appréhension** *f.* dread, foreboding

**apprendre** to learn ; teach, tell

**apprêter** to prepare ; **s'—** to get ready

**approche** *f.* proximity, expectation

**approcher** to come near, approach ; **s'—** to approach

**approuver** to sanction, authorize

**appuyer** to lean ; **s'—** to depend

**après** later, afterwards ; **— que** after ; **— demain** day after tomorrow

**arc-en-ciel** *m.* rainbow

**ardent** intense, violent

**argenté** silvery, silver grey

**arguer de** to urge, adduce

**aride** sterile, arid

**arme** *f.* weapon

**arraché** torn away

**arracher** to pluck out, tear away

**arrangement** *m.* plan, arrangement

**arrêté** determined

**arrêter** to fix ; **s'—** to stop, pause

**arrière** behind ; **en —** backward

**arriéré** backward, undeveloped

**arriver** to happen, occur, arrive ; **— à faire** to succeed in doing

**art** *m.* artistry

**artificiel** unnatural

**aspect** *m.* aspect

**asseoir** to seat ; **s'—** to sit down

**assez** quite, enough, rather

**assiette** *f.* plate

**assises** *f. pl. :* **cours d'—** assize-court

**associer :** **s'—** to join, associate with

**assombrir** to darken, make gloomy

**assumer** to undertake, assume

**assuré :** **mal —** unsteady

**assurer** to assure ; **s'—** to make sure

**assurément** certainly

**atmosphère** *f.* ambiance, influence, atmosphere

**âtre** *m.* hearth

**attacher** to secure

**attaquer** to assault, seize

**attarder :** **s'—** to linger

**atteindre** to reach, attain

**atteinte** *f.* touch

**attendre** to await, expect ; **en attendant** meanwhile

**attente** *f.* expectancy, waiting, tense awaiting

**attenter à** to interfere with

**attentif** thoughtful, attentive

**attention** *f.* care, attention ; **faire —** to heed

**attentionné** attentive, thoughtful

**attester** to swear to, give evidence

**attrait** *m.* interest, attraction

**attrister** to sadden ; **s'—** to be saddened

**aucun : ne . . . —** no, none

**au-dessous** below

**au-dessus** above

**augmenter : s'—** to increase

**aujourd'hui** today ; **dès —** henceforward

**auparavant** previously

**auprès de** near to, beside, with, at the bedside of

**aurore** *f.* dawn, daybreak

**aussi** also, too, consequently ; **— bien** just as well, likewise ; **— bien que** as well as

**aussitôt** immediately

**autant : — que** as much as, as near as ; **d'— plus que** all the more so as

**automne** *m. or f.* autumn

**autorité** *f.* authority

**autour de** around, about

**autre** other ; **les —s** the others, other people ; **d'—s** others

**autrefois** formerly

**autrement** otherwise, differently

**autrui** other people

**avance : d'—** beforehand

**avancer** to push forward, move forward

**avant** before ; **— que** before ; **— que de** prior to ; **aller**

**de l'—** to push forward ; **en —** forward

**avantage** *m.* advantage, benefit

**avare** *m.* miser

**avec** with

**aventure** *f.* adventure, luck, chance

**aventurer : s'—** to venture

**aversion** *f.* dislike, aversion

**averti** informed, made aware

**avertir** to warn

**aveu** *m.* confession, avowal

**aveugle** *adj.* blind ; *m., f.* blind person

**avidité** *f.* greediness, avidity

**avide** eager, avid

**avilir** to debase, disgrace

**avis** *m.* opinion, idea

**aviser : s'—** to recognize, become aware of

**avoir** to have

**avouer** to admit

**avril** *m.* April

**azur** *m.* sky blue, azure

## B

**baiser** *m.* kiss

**baisser** to lower

**balancer** to sway, undulate

**banc** *m.* bench, seat

**bas** *adj.* low ; **au —** at the bottom

**basse** *f.* bass viol

**battre** to beat, defeat ; **— les mains** to clap ; **— la retraite** to call a halt to, signal the retreat

**bée : bouche —** openmouthed

**beau, belle** handsome, beautiful, fine ; **de plus belle** higher (more) than ever

**beaucoup** much
**beauté** *f.* beauty
**béni** blessed
**berceau** *m.* cradle
**béret** *m.* beret, cap
**berger** *m.* shepherd
**besoin** *m.* need, necessity
**biaiser** to dodge, evade (the point)
**bibliothèque** *f.* library, bookcase
**bien** well, prettily, very ; — que even though ; **mais** — but rather
**bienheureux** blessed, sanctified
**bientôt** soon, shortly
**bienveillamment** kindly
**bigarrure** *f.* medley, motley
**billet** *m.* note
**bizarre** odd, strange
**bizarrement** oddly, strangely
**blâmer** to scold, reproach
**blanc** white
**blesser** to wound, hurt
**bleu** blue
**bleuir** to turn blue
**bloc** *m.* : en — as a unit, as a whole
**blond** blond, golden
**blondir** to turn golden *or* yellow
**bloquer** to obstruct, block
**blottir** to press against, snuggle
**blouser** to mislead, deceive
**boire** to drink
**bois** *m.* grove, wood, forest ; *pl.* wood winds
**boîte** *f.* box
**boiteux** lame, deformed; half-true, unreliable
**bon** good
**bond** *m.* leap

**bondir** to leap
**bonheur** *m.* happiness, good fortune
**bonnet** *m.* hood, bonnet
**bonsoir** *m.* good night
**bord** *m.* edge, confines
**borner** to limit
**bouche** *f.* mouth ; — **bée** openmouthed
**boucler** to wave, curl
**bouderie** *f.* sulkiness
**bouger** to stir
**bouillir** to boil
**bourse** *f.* purse
**bout** *m.* end, tip ; **à** — worn out ; **à** — de at the end of ; **à** — de **souffle** breathless
**branche** *f.* branch, bough
**bras** *m.* arm
**brebis** *f.* sheep, ewe
**bref** *adv.* in short, briefly
**brillant** sparkling
**brosser** to brush
**brouiller** : **se** — to get confused
**bruit** *m.* noise, sound
**brûlant** burning hot
**brume** *f.* fog, mist
**brumeux** cloudy, misty
**brusque** sudden
**brusquement** suddenly
**brutal** blunt, crude, brutal
**buanderie** *f.* wash house, laundry
**bureau** *m.* office, study

## C

**ça** that thing, that
**cabriolet** *m.* gig, buggy
**cacher** to hide
**cahier** *m.* notebook, journal
**caillou** *m.* pebble

**cajoler** to coax
**cajoleur** *m.* coaxer, wheedler
**calculer** to count, calculate
**câlin** *m.* coaxer, wheedler ;
*adj.* wheedling
**câliner** to fawn, wheedle
**calme** *m.* tranquillity, calm;
*adj.* serene, quiet
**candeur** *f.* candor, trustfulness
**cantique** *m.* hymn
**capable** efficient, qualified, able
**car** for, because
**caractère** *m.* character
**caresser** to caress
**carrefour** *m.* crossroad, intersection
**cas** *m.* case, circumstance
**casser** to break
**cause** *f.* reason, cause
**causer** to be responsible for,
bring about, occasion ; to
chat, talk with
**cave** *f.* cellar, underground
**ce, cet, cette, ces** this, that,
those, it ; **— qui, — que**
what, that which
**ceci** this
**cécité** *f.* blindness
**céder** to cease, yield, let up
**cela** that
**célébrer** to celebrate ; worship
**celui, celle, ceux, celles** this
one, the one(s), that, those
**cendré** ash-colored, pale blond
**centuple** *m.* hundredfold
**cependant** however ; meanwhile
**cercle** *m.* group, circle, confines
**cérémonie** *f.* service, ceremony
**certain** certain, particular
**certainement** surely, certainly
**certes** most assuredly

**certitude** *f.* assurance, cer-
tainty
**cesse : sans —** without stopping, ceaselessly
**cesser** to stop, cease
**chacun** each one, every one
**chagrin** *m.* sorrow
**chagriner** to sadden, annoy
**chaîne** *f.* chain
**chaînon** *m.* link
**chair** *f.* flesh
**chaise** *f.* chair
**chaleur** *f.* warmth
**chambre** *f.* room
**champ** *m.* field
**chancelant** staggering, totter-
ing
**chandelle** *f.* candle
**change** *m.* change ; **donner le
—** to put on the wrong
track ; **prendre le —** to be
fooled
**changer** to change, alter, trans-
form
**chant** *m.* song, melody, singing
**chanter** to sing
**chapelle** *f.* chapel
**chapitre** *m.* chapter
**chaque** each
**charge** *f.* duty, charge ; **avoir
— de** to be guardian of
**chargé** involved, laden
**charger : se — de** to assume
the responsibility for
**charité** *f.* charity
**charmant** charming, attractive, sweet
**chaud** *m.* warmth, heat ; *adj.*
warm
**chaumière** *f.* cottage
**chaussure** *f.* shoe, boot, foot-
wear
**chemin** *m.* path, road, way

cheminée f. hearth, fireplace

chemise f. shirt, nightgown

cher dear

chercher to seek, search, fetch ; — à to strive to

chéri darling

cheval m. horse

chevet m. bedside

cheveux m. pl. hair

chez at the home of, with, in company of

chien m. dog

chimérique fantastic

chirurgien m. surgeon

choisir to select, choose

chose f. thing

chrétien Christian

chute f. fall, descent

ciel m. sky, heaven

citer to quote

clair clear

clairement clearly

clarinette f. clarinet

clarté f. brightness, light

claustration f. confinement

clavier m. keyboard

clinique f. private hospital, nursing home

cloche f. bell

cloison f. wall, partition

clos shut, sealed

cœur m. heart, devotion ; le — me faut I lack courage ; me tient à — is important to me

coin m. corner

collaboration f. help, collaboration

coloration f. coloring, tinting

colorer to tint, color

combien how many, how much, how

combler to overwhelm

comédie f. comedy

comme as, as if ; — il faut properly

commencement m. beginning

commencer to start, begin

comment how

commentaire m. commentary

commun adj. common

communal communal, of the family

commune f. township

communier to take communion

compagnon m. comrade ; — de route traveling companion

comparaison f. comparison

comparer to compare

complaisant well disposed, obliging

complet complete

complètement completely, fully, utterly

composer to make up, form

comprendre to understand

compromettre to endanger

compte m. bill, account ; en fin de — in the long run ; tenir — de to take account of

compter to intend, count (on)

comté m. county

concentrer to gather, concentrate

concerner to be relevant to

conciliation f. concord, conciliation

conclusion f. result, conclusion

concurremment concurrently

conduire to lead, conduct, guide

conduite f. conduct, behavior

confectionner to make, prepare

**confesser** to avow, confess

**confiance** *f.* trust, reliance, hope

**confiant** trustful, confiding

**confier** to entrust, confide

**confondre** to confuse, confound, mix, blend

**confort** *m.* ease, comfort

**confus** conflicting, mingled

**confusion** *f.* bewilderment, embarrassment

**congestion pulmonaire** *f.* pneumonia

**conjugal** marital

**connaissance** *f.* knowledge, consciousness ; **sans —** unconscious

**connaître** to know, be acquainted with

**consacrer** to consecrate, devote

**conscience** *f.* conscience, consciousness

**conseiller** to advise, counsel, recommend

**consentir** to agree, consent

**conséquence** result, consequence

**conserver** to keep, harbor, guard

**considérer** to realize, consider, contemplate

**consolation** *f.* comfort, consolation

**consoler** to console, make up for

**consonance** *f.* harmony, consonance

**constamment** constantly, persistently

**constance** *f.* patience, steadfastness, persistence, fortitude

**constater** to ascertain, authenticate

**construire** to build

**conte** *m.* tale

**contempler** to contemplate

**contenir** to hold in ; **se —** to control oneself

**contenter : se — de** to be satisfied with

**conteste** *f.* difference, dispute

**continuel** unceasing

**continuer** to continue

**contracter** to assume, enter into

**contraindre** to coerce, impel

**contraint** stiff, embarrassed

**contrainte** *f.* restriction, coercion

**contraire** contrary ; **au —** on the contrary

**contre** against, near, touching

**contribuer** to contribute

**contrôler** to check, verify

**convaincre** to convince ; **se —** to make oneself believe, recognize

**convenir** to suit, fit, agree ; **— de** to agree upon

**convertir : se —** to become converted

**copier** to copy

**cor** *m.* French horn

**corde** *f.* rope ; **instrument à —s** string instrument

**cordon** *m.* drawstring

**corps** *m.* body, corpse

**correct** correct, right

**côté** *m.* direction, side, aspect, bank ; **de mon —** from my point of view, for my part

**coteau** *m.* hill ; **à flanc de —** on the side of the hill

**cou** *m.* neck

**coucher** lay down, put to bed ; **se —** to lie down, go to bed, set (*sun*)

**couleur** *f.* color, shade

**coup** *m.* blow ; **tout à —** suddenly ; **du même —** at the same time

**coupable** guilty

**couper** to cut, cross, intersect

**cour** *f.* court of law, courtyard, royal court

**courant** *m.* current

**courber** to bend, lower

**courir** to run, wander over

**cours** *m.* trend, manner ; **au — de** during, in the course of ; **— d'eau** stream, river

**course** *f.* errand, journey

**court** short

**coussin** *m.* pillow

**coutume** *f.* custom ; **avoir — de** to be in the habit of ; **prendre —** to get used

**coutumier** usual

**couvert** covered

**couverture** *f.* quilt, blanket

**craindre** to fear, dread

**crainte** *f.* fear, timidity

**craintif** fearful

**craintivement** fearfully

**créature** *f.* being, creature

**crépusculaire** dim

**cri** *m.* cry

**crier** to call out, yell

**crime** *m.* crime, guilt

**crise** *f.* crisis ; **— de sanglots** fit of sobbing

**crispé** exasperated, contorted

**critique** critical

**croire** to think, believe

**croisement** *m.* intersection

**croiser** to cross

**croître** to thrive, grow

**crouler** to fall, collapse

**cruellement** cruelly

**cueillir** to gather

**cuivre** *m.* copper ; **les —s** brass instruments (*music*)

**cultiver** to cultivate, encourage

**culture** *f.* farming, cultivation

**curieux** inquisitive, curious

**curiosité** *f.* curiosity

## D

**d'abord** at first

**dans** in

**danse** *f.* dance

**danser** to dance

**davantage** more

**de** *prep.* of, from

**débat** *m.* discussion, mental conflict

**debout** upright

**débris** *m.* fragment, scrap

**deçà : en —** within, short of

**décent** virtuous, decent, proper

**déception** *f.* disappointment

**décharger** to unload ; **se —** to unburden oneself

**déchirer** to tear, destroy

**décider** to decide, settle ; **se — à** to resolve

**déclaration** *f.* statement

**déclarer** to declare

**décliner** to sink, go down

**décoloré** colorless, bloodless

**déconcertant** baffling

**décontenancé** upset, abashed

**décourager** to dishearten

**découvrir** to discover

**décrire** to describe

**défaut** *m.* lack, dearth, deficiency, fault, shortcoming ; **faire —** to be lacking

**défection** *f.* desertion, disloyalty

**défendre** to defend ; **se — de** to resist, avoid

**défendu** forbidden

**défense** *f.* interdiction, prohibition

**défensive** *f.* defensive, attitude of defense

**défunt, -e** *m., f.* deceased

**dégagé** unconstrained, free and easy

**dégager** to withdraw ; **se —** to free oneself

**dégoût** *m.* disgust

**dehors** outside ; **au —** outside ; **en — de** outside of, in spite of

**déjà** before, already

**déjeuner** *m.* lunch ; *verb* to have lunch

**delà** : **au —** beyond ; **par —** farther, beyond

**délicat** tender, frail

**délire** *m.* delirium

**délivrer** to free

**demain** tomorrow ; **après —** day after tomorrow

**demande** *f.* request

**demander** to ask ; **se —** to ask oneself, wonder

**demeurant** : **au —** for the rest, furthermore, yet

**demeure** *f.* dwelling

**demeurer** to reside, dwell, remain, tarry

**demi** half ; **à —** halfway

**dent** *f.* tooth ; **faire ses —s** to teethe

**dénuement** *m.* destitution, extreme poverty

**départ** *m.* departure, point of departure

**départir** : **se — de** to desist, abandon

**dépasser** to go beyond

**dépêche** *f.* telegram

**dépendre** to depend, be dependent on

**dépense** *f.* expense, cost

**déplaire** to displease, annoy

**déposer** to place, deposit, unload

**dépôt** trust, depot

**depuis** since, for

**déraisonnable** unreasonable, irrational

**déranger** to disturb, annoy

**dérider** : **se —** to brighten up, cheer up

**dernier** last, latter

**dernièrement** lately, recently

**dérober** : **se —** to escape, avoid

**déroute** *f.* rout ; **en —** defeated, in retreat

**derrière** *prep.* behind, back of

**dès** since ; **— que** as soon as ; **— lors** thenceforth ; **— ce soir** this very evening

**désagréable** unpleasant, disagreeable

**désapprouver** to disapprove

**désaveu** *m.* denial, disavowal, repudiation

**descendre** to descend, come down, be lowered

**désemparer** to upset, confound ; **désemparé** at a loss

**désespérer** to despair

**désespoir** *m.* despair, desperation

**déshérité** deprived, handicapped

**désigner** to point out, name

**désintéresser : se —** to lose interest

**désir** *m.* desire

**désirer** to wish, desire, long for

**désolé** unhappy, sorrowful

**désoler** to make unhappy ; **se —** to grieve, be disconsolate

**désordre** *m.* disorder, chaos

**désormais** from now on, henceforth

**dessein** *m.* plan, intention

**dessiner** to set off, delineate, draw

**dessous : en —** beneath, below ; **là-—** below, underlying

**dessus : au-—, par-—** above, beyond ; **là-—** concerning that, about that, thereupon

**détail** *m.* detail, detailed account

**dételer** to unyoke

**détestable** hateful, horrible

**détonner** to jar, sound out of tune

**détourner** to turn away, avert, divert

**détresse** *f.* misery, distress

**dévaler** to descend (rapidly)

**devancer** to forestall, anticipate

**devant** in front of, in face of, before ; **— que de** before

**développement** *m.* growth, development, unfolding

**développer** to grow, progress

**devenir** to become

**devoir** *m.* duty

**devoir** *verb* to owe, be necessary, have to, be forced to, must

**dévorer** to devour

**dévouement** *m.* devotion, willingness

**dialectique** *f.* dialectic, argument

**dialogue** *m.* conversation, dialogue

**diapré** variegated, checkered

**dicter** to dictate, prescribe

**Dieu** *m.* God ; **— soit loué !** Thank God !

**différemment** otherwise, differently

**différend** *m.* dispute, disagreement

**différer** to defer ; be different

**difficile** difficult

**difficulté** *f.* difficulty, trouble

**dimanche** *m.* Sunday

**diminuer** to weaken, diminish

**dire** to say, tell, remark ; **il va sans —** it goes without saying ; **vouloir —** to mean ; **c'est à —** that is to say

**directement** directly

**directeur** *m.*, **directrice** *f.* head, principal, director

**direction** *f.* guidance

**diriger** to direct, steer

**discours** *m.* speech, utterance

**disparaître** to vanish, disappear

**disperser** to scatter, disperse

**disponible** ready, available

**disposer de** to dispose of, have at one's disposal

**disposition** *f.* condition, state, disposition

**dissimuler** to hide ; **se —** to conceal from oneself

**dissipation** *f.* frivolous conduct, dispersion

**dissiper** to dispel, dissolve, distract

**dissocier** to disconnect, disassociate

**dissoudre** dissolve ; **se —** to melt, dissolve

**distant** distant, far apart, aloof

**distinct** clear, audible

**distinction** *f.* difference, distinction

**distinguer** to distinguish, see, make out

**distraire** to use idly, divert

**distrait** distracted

**divers** sundry, certain, diverse

**divin** divine, heavenly

**docilité** *f.* gentleness, docility

**docteur** *m.* physician, doctor

**doctrinaire** doctrinaire, illiberal

**dogmatique** dogmatic

**doigt** *m.* finger ; **indiquer du —** to point to

**domestication** *f.* taming, neutralizing

**dominer** to rise above, lord over, command

**donc** consequently, then, thus

**donnée** *f.* datum, information, fact

**donner** to give ; **— à manger** to feed ; **— le mot** to give the signal

**dont** whose, of whom, of which

**doré** golden, gilt

**dorer** to gild

**dorloter** to coddle, nurse

**dormant** sleeping, slumbering

**dormir** to sleep

**dos** *m.* back

**doucement** softly, gently

**douloureusement** painfully

**douloureux** painful, sorrowful

**doute** *m.* doubt ; **sans —** doubtless, probably

**douter** to doubt ; **s'en —** to suspect

**doux** *m.* softness, sweet ; *adj.* sweet

**drap** *m.* sheet

**dresser : se —** to arise

**droit** *m.* privilege, right ; *adj.* straight, erect

**dru** thick

**dû** *p.p.* of **devoir : être — à** to be caused by

**dupe** *f.* dupe, fool

**duquel** of which

**durant** during, along

**durci** hardened, grim

**durcir : se —** to become hard and stern looking

**durement** harshly

**durer** to last

**dureté** *f.* hardness

## E

**eau** *f.* water

**éblouissant** dazzling, blinding

**écart** *m.* : **à l'—** to the side, at a distance, aside

**écarter** to keep away, move away

**échapper** to escape, not to be subjected to ; **s'—** to escape (from), to find its source (in)

**échelle** *f.* gamut, scale

**échelon** *m.* step, rung

**éclairement** *m.* illumination

**éclairer** to clear up, explain ; **s'—** to become clear

**écluse** *f.* water gate, lock

**écouler : s'—** to pass by, go by, flow by

**écouter** to listen

écrier : s'— to exclaim, exclaim to oneself

écrire to write

écriture f. writing, handwriting

écueil m. reef, danger

écureuil m. squirrel

effet m. effect, result ; en — indeed ; se faire l'— de to visualize oneself as

effleurer to touch lightly

effondrer to collapse

efforcer : s'— to try, attempt

effort m. effort, endeavor

effusion f. expansiveness

égal : à l'— de on a par with, like, as

également also, equally

égard : à l'— de with regard to ; par — pour for the sake of

égaré lost, strayed

égarer : s'— to stray, wander

église f. church

eh bien ! well !

élan m. enthusiasm, impulse of the heart, outburst

élancer : s'— to bound, be lifted up

élève m., f. pupil

élever to lift up, raise, educate ; s'— to rise, arise

elle she, her ; elle-même herself

émaner to emanate, originate from

embarras m. difficulty, embarrassment

embrasser to kiss

emmener to lead away, take away, take along

émerveillement m. wonder, glory, marvel

émettre to emit

emmuré shut in, walled off

émouvoir to stir, touch

emparer to seize, grasp ; s'— de to take possession of

empêchement m. obstruction, impediment

empêcher to hinder, prevent

empirer to grow worse

emplir to fill

emploi m. use, employ

employer to make use of, employ

emporter to be victorious, carry away

empresser : s'— to be eager, hurry about

ému touched, affected

en prep. in, as ; pron. of it, to it

encadrer to frame

enchaînement m. connection, train of thought

enchaîner to chain, bind

enchanté happy, enchanted

encore still, yet, again ; — que even though

encourager to encourage, aid

encourir to undergo, incur

endormi asleep, sleeping

endroit place, situation

enfance f. childhood

enfant m., f. child, son or daughter

enfantin childish, childlike

enfermer to shut in, confine

enfin at last, finally, after all

enfoncer to bury, hide ; s'— to sink, bury oneself

engager to start

engourdi torpid, benumbed

engourdir to benumb

engourdissement m. torpor, numbness

énigmatique inscrutable

**enjoué** cheerful, playful
**enjouement** m. cheerfulness, playfulness
**enlaidir** to disfigure
**enlever** to remove, take away
**enseignement** m. education
**enseigner** to teach
**ensemble** together
**ensuite** afterward, later
**entassé** piled up
**entendre** to hear ; intend, mean ; **sous-—** to imply
**entendu** understood, agreed upon
**entour** m. : **—s** environs, surroundings ; **à l'— de** around
**entier** whole, entire
**entraînement** m. impulse, enthusiasm, inclination
**entraîner** to carry away, lead ; **s'—** to involve oneself
**entre** prep. between
**entreprendre** to undertake
**entrer** to enter, matriculate
**entretenir** to keep, maintain ; entertain, talk of
**entretien** m. conversation, interview ; care, upkeep
**entrevoir** to foresee
**entr'ouvrir** to half-open
**envahir** to invade
**envelopper** to wrap up
**envers** towards, concerning
**envie** f. desire, wish, envy
**environ** adv. about, nearly ; m. pl. surroundings, neighborhood
**envoyer** to send, transmit
**épais** thick
**épaisseur** f. thickness
**épaissir** to thicken
**épanouir** to expand, cause to open

**épargner** to spare
**épars** scattered, sparse
**épaule** f. shoulder
**épeler** to spell
**éperdument** recklessly, desperately
**épier** to spy upon, be on the watch
**épingle** f. pin
**épître** f. epistle
**épouser** to wed, marry
**épouvantable** terrible, horrible
**épreuve** f. test, ordeal
**éprouver** to feel, put to the test
**épuisable** exhaustible, limited
**équilibre** m. equilibrium
**ergoter** to wrangle, cavil
**erreur** f. mistake, error
**escalier** m. stairway
**espèce** f. kind, species
**espoir** m. hope
**esprit** m. mind, spirit, wit
**essayer** to try
**essuyer** to meet with
**estimer** to believe, feel, estimate
**établir : s'—** to begin, be established
**étaler** to spread out, spread over
**état** m. state, condition
**été** m. summer
**éteindre** to extinguish, cancel ; **s'—** to pass away
**éthique** f. ethic, moral code
**étincelle** f. spark
**étioler** to enfeeble, grow weak
**étiquette** f. label
**étonner** to surprise ; **s'—** to be astonished
**étouffer** to smother, choke
**étrange** rare, odd, unusual

**étrangement** remarkably, unusually

**étrangeté** unusualness, rarity, oddness

**être** *verb* to be ; *m.* being, creature

**étreindre** to take hold of, overcome, hug

**étroit** narrow

**étroitement** closely, narrowly

**étude** *f.* study, education

**eux** them

**évangile** *m.* Gospel

**éveil** *m.* awakening ; **en —** on the alert

**éveiller** to awaken

**événement** *m.* occasion, event

**évertuer : s'—** to strive

**évidemment** naturally, evidently

**éviter** to avoid

**exactement** precisely

**exaltation** *f.* rapture

**exalté** heavenly

**examiner** to examine

**exaspéré** angry, exasperated

**excès** *m. :* **à l'—** excessively, extremely

**exciter** to arouse, excite

**excursionniste** *m.* tourist, hiker

**exécuter** to carry out, execute

**exemple** *m.* example

**exigeant** exacting, compulsive

**exiger** to demand, need

**expérimenter** to experiment

**explication** *f.* explanation

**expliquer** to explain ; **s'—** to explain to oneself

**exposer** to show, explain

**exprimer** to express ; **s'—** to express oneself

**extase** *f.* delight, rapture, ecstasy

**extasier : s'—** to go into raptures

**extérieur** outer, external

**extraordinaire** unusual, remarkable

**extrêmement** extremely

**extrémité** extremity, end

**exubérant** exuberant, noisy, merry

## F

**fabricant** *m.* maker, manufacturer

**face** *f.* countenance

**fâché** displeased, angry

**fâcher** to anger ; **se —** to become angry

**fâcheux** vexatious, unfortunate

**facile** easy

**facilement** easily

**façon** *f.* manner, style, way

**faculté** *f.* faculty ; **— de théologie** theological school

**faillir** to be lacking; **le cœur me faut** I lack courage

**faire** to do, make, say ; *(with infinitive)* to have *(an action performed)* ; **— appel à** to call on for help ; **— beau** to be fine weather ; **— défaut** to be lacking ; **— part** to inform ; **— semblant de** to pretend ; **— sien** to assimilate ; **ne — que de** to have only ; **n'en — qu'à sa tête** to do only what one wants ; **se — l'effet de** to visualize oneself ; **se — mal** to hurt oneself

**faisceau** *m.* bundle, cluster

**fait** *m.* truth, actuality, event, fact ; **—-divers** news item

**falloir** to be necessary
**famille** *f.* family
**fantôme** *m.* ghost, chimera
**fastidieux** tedious, dull, annoying
**fatigue** *f.* weariness
**faute** *f.* fault, mistake
**fauteuil** *m.* armchair
**faux** false
**féliciter : se —** to rejoice
**femme** *f.* woman, wife
**fenêtre** *f.* window, casement
**ferme** *adj.* solid, firm
**ferme** *f.* farm
**fermer** to close, shut ; **se —** to close up
**ferveur** *f.* fervor, ardor
**fête** *f.* party, festivity
**fêter** to celebrate
**feu** *m.* fire
**feuille** *f.* leaf, sheet (of paper)
**février** *m.* February
**fiancer : se —** to become engaged
**fidèle** *adj.* faithful ; *m. or f.* churchgoer
**fièvre** *f.* fever, temperature
**fil** *m.* thread
**filet** *m.* thin thread, filament
**fille** *f.* girl
**fillette** *f.* little girl
**fin** *f.* end ; **en — de compte** in the long run
**finesse** *f.* subtlety, shrewdness
**fixé** decided
**fixement** steadfastly
**flamme** *f.* flame
**flanc** *m. :* **à — de coteau** on the side of the hill
**fléchir** to weaken, tremble
**fleur** *f.* flower
**fleuve** *m.* river
**flottant** floating

**flûte** *f.* flute
**foi** *f.* faith, belief
**fois** *f.* time ; **à la —** at the same time ; **deux —** twice ; **que de —** how many times ; **tout à la —** simultaneously ; **une bonne —** once and for all
**folie** *f.* madness
**foncé** dark, sombre
**fond** *m.* depth, bottom
**fondre** to melt
**force** *adj.* many, a great deal ; *f.* strength, force
**forcé** forced, obliged
**forcer** to oblige, force
**forêt** *f.* forest
**former** to form, make up
**formuler** to state, express
**fort** *adj.* strong, loud ; *adv.* strongly, loudly ; **— à faire** much to do
**fortune** *f.* wealth, fortune
**fournir** to furnish, provide, yield
**foyer** *m.* fireplace, hearth, home
**fracture** *f.* break, fracture
**frais** cool, fresh
**franc** *adj.* frank, sincere, genuine ; *adv.* frankly
**franchir** to cross
**franchise** *f.* frankness
**frapper** to strike, hit ; **se —** to be struck, impressed
**frêle** weak, frail
**frère** *m.* brother
**friandise** *f.* tidbit, sweet
**frissonner** to shiver
**froid** *adj.* cold ; *m.* cold
**front** *m.* forehead, impudence, cheek
**fuir** to flee, avoid, run away
**fumée** *f.* smoke

**fumeux** smoky, frothy
**funèbre** funereal
**furtivement** sneakily, stealthily
**futile** useless, futile

## G

**gagner** to win, gain
**gai** happy, gay
**galet** *m.* pebble
**garde** *f.* charge, watch ; —-fou handrail, parapet
**garder** to hold, keep ; — la maison to stay home
**gardien** *m.* guardian
**gâteau** *m.* cake
**gâter** to indulge, spoil, cozen
**gauche** *f.* left
**geindre** to moan, whine
**gémir** to groan, moan
**gémissement** *m.* groan
**gênant** annoying, troublesome
**gêne** *f.* annoyance, discomfort, embarrassment, worry, torment
**gêné** annoyed, difficult
**gêner** to annoy, embarrass ; se — to deprive oneself
**généralement** in general, usually
**genou** *m.* knee ; à — kneeling
**genre** *m.* sort, kind
**gens** *m. pl.* people
**gentiane** *f.* blue gentian
**geste** *m.* gesture, action
**glacer** to chill, freeze, ice
**glisser** to slide, slip
**gloire** *f.* glory
**gonfler** to swell
**gouffre** *m.* abyss, pit
**goulûment** greedily, voraciously

**goût** *m.* taste, liking, tang
**goûter** *m.* afternoon tea
**grâce** *f.* mercy, gracility, harmony ; — à thanks to
**grain** *m.* seed
**grand** great, large, big, important ; **grand'chose** very much
**grandement** greatly, enormously, fully
**grandir** to grow
**grange** *f.* barn
**gratuit** gratuitous
**grave** deep, low (*music*)
**gravement** seriously
**gravir** to climb
**gravité** *f.* seriousness, gravity, sublimity
**gré** *m.:* à mon — according to me
**grenat** garnet red
**grenier** *m.* attic
**grief** *m.* complaint, disagreement
**grillon** *m.* cricket
**grogner** to snarl, growl, scold
**guère** hardly
**guérir** to cure
**guide** *f.* guide
**guider** to guide
**guipure** *f.* lace
**gustatif** gustatory

## H

**habile** clever
**habitude** *f.* habit, custom, use
**habitué** used to
**habituel** habitual, regular
**haillon** *m.* rag, tatter
**haleine** *f.* breath ; **reprendre** — to recover one's breath
**halte** *f.* break, stop, change

**harassé** weary, tired

**harmonie** f. harmony

**harmonieux** harmonious

**harmonium** m. organ

**hasarder** to risk ; **se —** to venture

**hâte** f. haste, hurry

**hausser :** **— les épaules** to shrug one's shoulders

**haut** m. top ; adj. high, shrill ; **plus —** adv. previously, earlier

**hautbois** m. oboe

**hauteur** f. height, altitude

**héberger** to shelter

**hélas** alas

**herbe** f. grass

**héritier** m. heir

**hésitant** faltering, undecided

**hésiter** to hesitate

**heure** f. time, hour ; **tout à l'—** just now

**heureusement** happily

**heureux** happy, content

**heurter** to encounter, run against ; **se —** to run counter (to)

**hier** yesterday ; **avant —** day before yesterday

**histoire** f. story, account

**hiver** m. winter

**hocher** to nod, shake

**homme** m. man, mankind

**horreur** f. horror, disgust ; **avoir — de** to despise, hate

**horriblement** terribly

**hors :** **— de moi** beside myself, furious

**hospice** m. (orphan) asylum

**hospitaliser** to shelter, lodge, care for

**hostile** inimical, unfriendly

**hostilité** f. enmity, hostility

**hôtesse** f. guest, hostess

**humain** human

**humanité** f. humanity

**humble** meek, humble, lowly

**humeur** f. mood, disposition

**hurler** to scream, howl

**hygiène** hygiene, health, reasons of health

# I

**ici** here; **d'— là** in the meantime, until then

**idée** f. idea

**idiote** f. (**idiot** m.) simpleton

**ignorer** not to know, be ignorant of

**il y a** there is, there are ; ago

**illusionner :** **s'—** to fool oneself

**image** f. image, likeness

**imager** to picture; to adorn with images

**imaginaire** imaginary

**imaginer** to imagine, picture

**imbu** imbued, filled

**immédiatement** immediately

**immense** vast, immense

**immobile** motionless, still

**impassible** emotionless, impassive

**impatiemment** impatiently

**impétueusement** violently, impulsively

**imploration** f. beseeching, prayer

**implorer** to beseech

**importance** f. importance, seriousness, necessity

**important** important, noteworthy

**importer** to matter ; **n'importe** never mind ; **que**

t'importe ? what difference does it make to you ?

imposer to impose, inflict on

imprécis uncertain, vague

imprimer to print

impur impure, evil

imputation *f.* charge, accusation

inapte inept, incapable

inattendu unexpected

inavoué unadmitted, unconscious

incertain indistinct, doubtful

incliné leaning, sloping

incliner to abase

incompréhensible incomprehensible, unbelievable

inconsidéré thoughtless, unreflecting

incontestablement undeniably

indéniable undeniable

indéniablement undeniably

index *m.* index finger

indicible indescribable

indignation *f.* anger, indignation

indigné indignant

indigner : s'— to become indignant

indiquer : — du doigt to point to

indistinctement in every way, indiscriminately

indolence *f.* lethargy, apathy

indulgent forgiving, indulgent

ineffable unutterable, ineffable

inégal uneven, irregular

inépuisable inexhaustible

inexpressivité *f.* blankness

inexprimable inexpressible

infini *adj.* infinite ; *m.* the infinite ; à l'— infinitely, endlessly

infirme *adj.* infirm ; *m.*, *f.* invalid, handicapped person

infirmité *f.* handicap

informer : s'— to inform oneself, find out

inhabité deserted, uninhabited

inhumation *f.* burial

injurieux derogatory

injuste unjust, unfair

injustice *f.* injustice, unfairness

innocent(-e) blameless one

inonder to deluge

inquiet anxious, uneasy

inquiéter to worry ; s'— to worry oneself about

inquiétude anxiety, unrest

insatisfaction *f.* discontent

inscrit inscribed

insensible untouched

insignifiant unimportant, insignificant

insistance persistence, urging

insister to put emphasis on

inspirer to inspire

installer to install

instant *m.* second, moment

instar : à l'— de like, in imitation of

institut *m.* school, asylum

instruction *f.* teaching, education

instruire to teach

instruit adapted to

insuffisamment insufficiently

intellectuel intellectual, mental

intelligence *f.* intelligence, understanding

intensité *f.* depth, intensity

interdire to forbid

interdit speechless, stunned

**intéresser :** s'— to show interest (in)

**intérêt** *m.* interest, sympathy, welfare

**intérieur** inner

**interloquer** to disconcert

**interprétation** *f.* meaning, interpretation

**interrogation** *f.* questioning, interrogation

**interroger** to question

**interrompre** to interrupt

**intervenir** to intervene

**intolérable** unendurable, intolerable

**intriguer** to puzzle

**intrus(–e)** intruder

**inutile** vain, useless, unnecessary

**inventer** to invent

**inviter** to invite, suggest

**involontaire** helpless, unintentional

**ironie** *f.* irony

**irradiation** *f.* radiance

**irritation** *f.* vexation, annoyance

**irrité** angry

**irriter :** s'— to become angry

**isolation** *f.* solitude

**isolé** isolated

**isolement** *m.* isolation

**isoler** to isolate

## J

**jaillir** to burst, gush forth

**jalousie** *f.* jealousy, envy

**jamais** ever ; **ne . . . jamais** never

**jappement** yelping

**jardin** *m.* garden

**jardinier** *m.* gardener

**jaune** yellow

**jeter** to throw, cast

**jeu** game, pastime

**jeune** young

**joie** *f.* joy, happiness

**joli** pretty, attractive

**jonc** *m.* rush

**joue** *f.* cheek

**jouir** to enjoy, be in possession of

**jour** *m.* day, daylight ; — **de fête** holiday ; **tout le long du** — the whole day long

**journal** *m.* journal, diary, newspaper

**journaliste** *m.* journalist

**journée** *f.* entire day

**joyeux** joyful

**judicieusement** wisely, sensibly

**juger** to judge

**jurer** to vow, swear

**jusque** until ; **jusqu'à** up to ; **jusqu'alors** until then ; **jusqu'auprès** close to

**justesse** *f.* accuracy

## K

**kilomètre** *m.* kilometer = $\frac{5}{8}$ mile

## L

**là** there ; **—-bas** down there, over there ; **—-dessus** thereupon

**lac** *m.* lake

**lâche** *adj.* cowardly ; *m.* coward

**lâchement** weakly, like a coward

**lâcheté** cowardice

laid ugly

laisser to let, leave ; — échapper to allow to escape ; se — aller to lose one's self-control ; ne — pas not fail to

lait *m.* milk

lampe *f.* lamp

lanterne *f.* lantern

large broad

larme *f.* tear

las weary

Lausanne one of the principal cities of Switzerland and site of an ancient university

laver to bathe, wash

leçon *f.* lesson

lecture *f.* reading

léger light, slight

légèrement slightly

lendemain *m.* day after

lequel who, which, whom

leur their ; (to) them

lever : au — du soleil at sunrise ; — du jour daybreak

lever to lift ; se — to arise ; — le corps to remove the body ; serait levé de sur mon âme would be lifted from my soul

lèvre *f.* lip

liberté *f.* freedom

libre free

lier to connect, bind

lieu *m.* location, site ; avoir — to take place ; — saint sanctum

limitation *f.* restriction, boundary

limite *f.* limit, bounds

limité limited

limiter to restrict, bound

limpide transparent, unsullied

linéament *m.* rudiment, outline

linge *m.* undergarment

lire to read

lit *m.* bed

livre *m.* book, volume

loger to live (with)

logique *f.* logic

loi *f.* law

loin far, far removed, distant, different

lointain distant

loisir *m.* leisure, liberty

long long ; le — de along ; tout le — du jour the whole day long

longer to walk along, run alongside

longtemps a long while

longuement lengthily, at length

lors at the time of ; — même even though

lorsque when

louer to praise ; Dieu soit loué Thank God !

lourd heavy, oppressive

lueur *f.* gleam

lui (to) him, her, it

lumière *f.* light, radiance

lumineusement radiantly

lumineux luminous, radiant

lune *f.* moon

lutte *f.* struggle

lutter to struggle

lys *m.* lily

## M

mai *m.* May

main *f.* hand

maint many a

maintenir to sustain, maintain ; se — to remain, last

**mais** but ; — **bien** but rather
**maison** *f.* house
**maître** *m.* master
**maîtresse** *f.* mistress
**maîtriser** to overcome, dominate
**mal** *adj.* bad, evil ; *adv.* badly, poorly ; *m.* evil ; **avoir du** — **à** to have difficulty in
**malade** *adj.* ill, sickly ; *m., f.* sick person
**maladroit** clumsy
**maladroitement** awkwardly
**malaisément** with difficulty
**malgré** in spite of, despite ; — **que** although
**malhabile** clumsy, unaccustomed
**malheureux** unhappy, sad
**Malin** *m.* Satan
**malséant** unfitting
**manger** to eat
**manière** *f.* way, style, manner ; **à la** — **de** like ; **de** — **que** so that
**manifestement** evidently
**manque** *m.* lack, deficiency
**manquer** to be lacking
**mansuétude** *f.* gentleness, forbearance
**manteau** *m.* mantelpiece ; outer covering
**marche** *f.* walking
**marcher** to walk
**margelle** *f.* brink
**mari** *m.* husband
**mariage** *m.* marriage
**marié** married
**marquer** to exhibit, emphasize
**mars** *m.* March
**masse** *f.* mass
**matériel** material, everyday

**maternel** maternal, motherly
**matin** *m.* morning
**maturation** *f.* ripening
**méditer** to meditate
**meilleur** better
**mélancolique** melancholy, depressed
**mélanger** to mix, combine
**mêler : se** — to unite oneself to, join, blend
**mélodieux** melodious
**même** *adj.* same, very ; *adv.* even ; **à** — **de** able to ; **de** — in the same way ; **de** — **que** like, as ; **lui**-— himself ; **elle-** — herself
**menace** *f.* threat
**ménage** *m.* household
**ménagère** *f.* housekeeper
**mener** to lead, take with
**mensonge** *m.* falsehood, lie
**mentir** to lie
**menu** minute, slight
**méprendre : se** — to make a mistake, deceive oneself
**merci** thanks ; **Dieu** — Thank God!
**mercier** *m.* **mercière** *f.* mercer, haberdasher
**mère** *f.* mother
**mériter** to earn, deserve
**mesquin** petty, worthless
**mesure** *f.* : **à** — **que** according as
**mesurer** to calculate, measure
**méthode** *f.* system, method
**mettre** to put ; — **en avant** to put forward; — **en pratique** to put to use ; **se** — **à** to begin to
**meubler** to store, clutter
**midi** *m.* noon
**mien** mine ; **les** —**s** my family

**mieux** better ; **le —** the best ; **— vaut** it would be better ; **de mon —** to the best of my ability ; **à qui — —** in emulation of each other

**milieu** *m.* middle, midst

**mille** thousand

**mince** thin

**minutieusement** minutely, in detail

**miroir** *m.* mirror, looking glass

**misérable** miserable, distressing

**misère** *f.* misery, distress

**modestie** *f.* modesty

**moi** me ; **moi-même** myself

**moindre** least, slightest, smaller, lesser

**moins** less ; **le —** the least ; **du —** at least ; **à — que** unless ; **à — de** except for

**mois** *m.* month

**monde** *m.* world ; **tout le —** everybody

**monstre** *m.* monster

**monstrueux** monstrous, unnatural, atrocious

**montagne** *f.* mountain

**monter** to climb, go up

**montre** *f.* watch, timepiece

**montrer** to show ; **se —** to show oneself

**monumental** huge, tremendous

**moquer : se —** to make fun (of)

**morne** dismal

**morose** gloomy

**mort** *f.* death ; *adj.* dead

**mortel** deadly, fatal

**mot** *m.* word ; **donner le —** to give the signal

**motif** *m.* reason, cause, motive

**mouche** *f.* fly

**moue** *f.* pout

**mouiller** to wet

**mourir** to die ; **se —** to be dying

**mouvement** *m.* action, movement

**moyen** *m.* way, means, method ; **trouver le —** to manage

**munir : se — de** to provide oneself with

**mur** *m.* wall

**murmure** *m.* whisper

**murmurer** to whisper, murmur

**musculairement** by muscular reaction

**musical** musical, well-modulated

**musique** *f.* music

**myosotis** *m.* forget-me-not

**mystère** *m.* mystery

**mystérieux** mysterious

**mystique** *adj.* mystical

## N

**naguère** formerly

**naïf** innocent

**naissance** *f.* birth

**naître** to be born

**naïveté** *f.* innocence

**nature** *f.* nature, disposition, character

**naturel** natural, innate ; *m.* disposition

**naturellement** naturally

**ne . . . guère** hardly ; **ne . . . pas** not ; **ne . . . point** not at all ; **ne . . . que** only ; **ne . . . jamais** never

**néanmoins** however

**nécessairement** invariably, necessarily

**négatif** negative

**neige** *f.* snow

**neigeux** snowy

**nerveusement** nervously

**nervosité** unrest, nervousness

**net** distinct, keen, clear

**nettement** clearly, distinctly

**nettoyer** to clean ; **se —** to clean oneself

**Neuchâtel** Swiss city on the lake of the same name, fifteen miles east of La Brévine

**neuf** new ; **avec un œil —** with new understanding

**neutre** *m.* neuter gender

**ni** nor ; **ni . . . ni** neither . . . nor

**noble** worthy, noble

**noce** *f.* marriage, wedding

**noir** black, gloomy

**nom** *m.* name ; **avoir —** to be called

**nombre** *m.* number

**nommer** to name, enumerate

**non** no ; **— plus que** no more than ; **— point** not at all

**normal** usual, normal

**note** *f.* note, entry

**noter** to make note of

**notion** *f.* idea, knowledge

**notre** our

**nouer** to knot, bind together

**nourriture** *f.* food, nourishment

**nous** we, us

**nouveau** new, novel ; **de —, à —** once more

**noyé** drowned, swimming

**noyer** to drown

**nu** naked ; **nu-tête** bareheaded

**nuée** *f.* cloud

**nuit** *f.* night, darkness; ignorance ; **— tombée** dark of night

**nul** none at all, not the least

**nullement** in no way, not at all

## O

**obéir** to obey

**objecter** to object

**objet** *m.* thing, object

**obligation** *f.* moral obligation

**obligatoire** mandatory

**obliger** to necessitate ; render a service

**obliquement** sidewise

**obscur** dark

**obscurcir** to darken, obscure

**observation** *f.* observation, reproof

**observer** to notice, understand, observe

**obstiné** obstinate, stubborn

**obstiner : s'—** to persist (in)

**obtenir** to make it possible (that), attain, get

**obtus** stupid, uncomprehending

**occupation** *f.* task, duty

**occuper** to take, occupy ; **s'— à** to occupy oneself with ; **s'— de** to give one's attention to

**œil** *m.*, **yeux** *pl.* eye

**œuvre** *f.* task, endeavor, work

**offense** *f.* transgression, sin

**offenser** to offend, grate on

**offrir** to offer ; **s'—** to offer one's services

**offusquer : s'—** to resent

**oiseau** *m.* bird

**ombre** *f.* shadow, near darkness

**ombrer** to darken, overcast

**on** one, we, they

**opaque** opaque, dense

**opérable** curable by operation

**ophtalmoscope** *m.* ophthalmoscope (*concave mirror for examining the retina*)

**opposer** to oppose ; **s'**— to object to

**oppressé** difficult, heavy; breathless

**oppresser** to overwhelm, oppress

**or** *m.* gold

**orangé** orange-colored

**ordinaire : d'**— usually

**ordre** *m.* order, command ; **personne d'**— orderly person ; **les** —**s** religious orders, priesthood

**orée** *f.* edge, border

**oreille** *f.* ear

**oreiller** *m.* pillow

**orgue** *m.* organ ; **tenir l'**— to have charge of the organ

**orgueil** *m.* pride

**orient** *m.* orient, aim, mecca

**ornement** *m.* decoration

**orpheline** *f.* orphan girl

**oser** to dare, risk

**ou** or ; **ou . . . ou** either . . . or

**où** where, in which, when

**oubli** *m.* oversight, forgetfulness

**oublier** to forget

**oui** yes

**outre : passer** — to disregard, override, pay no attention ; — **que** beside the fact that

**ouvert** open

**ouvertement** openly

**ouvrir** to open

## P

**paillasse** *f.* mat, straw mattress

**pain** *m.* loaf of bread

**paisible** peaceful, calm

**paix** *f.* peace, serenity

**pâle** pale

**palper** to handle, finger

**palude** *f.* swamp, morass

**papier** *m.* paper

**papillon** *m.* butterfly

**Pâques** *m.* Easter

**paquet** *m.* bundle, parcel

**par** by, through ; — **delà** beyond ; — **-dessus** above, beyond ; — **trop** much too much

**parabole** *f.* parable

**paraître** to appear, seem

**parce que** because

**pardon** *m.* forgiveness, pardon

**pareil** such, similar, same

**parent** *m.*, **parente** *f.* relative

**parfait** perfect, utter

**parfaitement** perfectly, completely

**parfois** sometimes

**parfum** *m.* fragrance

**parler** to speak

**parloir** *m.* reception room, parlor

**parmi** among

**parole** *f.* (spoken) word

**part** *f.* viewpoint, attitude, part ; **à** — apart, aside, singly ; **faire** — to inform ; **prendre** — to take part in ; **prise à** — considered separately

**parti : prendre son — de** to resign oneself to

**particulier : en —** privately, in private

**particulièrement** especially

**partie** *f.* part, share, game, cause

**partir : à — de** beginning with

**partout** everywhere

**parvenir à** to arrive at, attain

**pas** *m.* step ; **— à —** step by step ; **prendre le —** to fall into step ; **ne . . . —** not

**passage** *m.* passage

**passant** *m.* passer-by

**passé** *m.* past ; *prep.* beyond ; *adj.* last

**passer** to pass, pass by, spend ; **— outre** to disregard, override, pay no attention ; **— pour** to pretend ; **faire — pour** to pass off as ; **se —** to happen ; **se — de** to do without

**passionnément** fervidly

**pasteur** *m.* minister of the Gospel, shepherd

**pastoral** pastoral, ministerial

**pathétique** sad, unhappy, pathetic

**patiemment** patiently

**patiner** to skate

**pâturer** to pasture

**paupière** *f.* eyelid

**pauvre** poor, unhappy ; *m.* a poor person

**payer** to pay, recompense ; **se —** to repay, be paid

**pays** *m.* region

**paysage** *m.* landscape

**péché** *m.* sin, guilt

**peindre** to picture, depict

**peine** *f.* trouble, difficulty, pain ; **avoir — à** to have trouble, be hardly able to ; **à —** scarcely, hardly ; **être en — de** to be at a loss to ; **faire de la —** to cause sorrow

**peiner** to hurt, cause sorrow

**peintre** *m.* painter, artist

**penaud** penitent, sorry, sheepish

**pencher** to bend over, lean over, incline, turn to

**pendant** during

**pénible** painful, sad

**pensée** *f.* thought

**penser** to think

**pension : en —** at a boarding school

**pensionnaire** *m.* boarder

**pensivement** thoughtfully, meditatively

**percevoir** to distinguish, perceive

**perdre** to lose ; **— pied** to lose one's footing

**perdu** desolate

**père** *m.* father

**périlleux** dangerous, perilous

**permettre** to allow, grant, permit

**perplexe** confused, puzzled

**perplexité** *f.* problem, difficulty

**personne** *f.* person, character ; *ind. pron.* nobody

**persuader** to induce ; **se —** to convince oneself, come to the conclusion

**perte** *f.* loss

**pesant** heavy

**peser** to weigh, hang on

**petit** small, little ; **petite** *f.* little girl ; **petite-fille** granddaughter

**peu** little, not much, few, not many ; **quelque —** slightly ; **— à —** little by little ; **à — près** just about ; **pour — que** if . . . merely

**peuplé** swarming, infested

**peur** *f.* fear, fright, dread

**peut-être** perhaps

**phase** *f.* aspect, phase

**philosophie** *f.* philosophy, highest class in French lycée

**phrase** *f.* phrase, sentence

**pièce** *f.* room, chamber

**pied** *m.* foot ; **au — de** at the foot of ; **perdre —** to lose one's footing

**pieux** pious, devout

**piquant** pointed, unexpected

**piscine** *f.* swimming pool

**pitié** *f.* pity, sympathy

**place** *f.* place, space

**placer** to place, situate

**plage** *f.* beach

**plaindre : se —** to complain

**plaintif** pitiful, plaintive

**plaintivement** plaintively

**plaire** to please ; **se — à** to like to

**plaisant** pleasing, delightful

**plaisanter** to banter, tease

**plaisir** *m.* delight, pleasure

**pléiade** *f.* Pleiades (*constellation*)

**plein** full, perfect

**pleurer** to cry, weep

**plissé** puckered

**plonger** to plunge, sink (into)

**pluie** *f.* rain

**plume** *f.* pen, feather

**plupart** *f.* most, majority

**plus** more ; **— de, — que** more than ; **le —** the most ; **ne . . . —** no longer ; **de**

**—** furthermore ; **de — en — more and more

**plût à Dieu** (*subj. imp.* **plaire**) may it please God, would to God

**plutôt** rather, sooner

**pluvieux** rainy

**poésie** *f.* poetry

**poids** *m.* weight, load

**poindre** to dawn, break

**point : ne . . . —** not, not at all ; **à ce —** to such a degree ; **à quel —** to what a degree ; *m.* point, subject

**pommade** *f.* unguent, salve

**pommier** *m.* apple tree

**pont** *m.* bridge

**porte** *f.* door, gate

**portée** *f.* reach, range

**porter** to carry, wear

**posément** calmly

**poser** to place, put

**position** *f.* posture, position

**possession** *f.* control, domination

**possibilité** *f.* possibility

**poste** *m.* place

**pour** for, in order to ; **— que** in order that

**pourquoi ?** why ?

**pourtant** however

**pousser** to utter, push, urge

**pouvoir** to be able

**prairie** *f.* field, meadow

**praticable** usable

**pratique** practical ; **mettre en — to put to use, employ

**précaire** difficult, dangerous

**précaution** *f.* care, precaution

**précédemment** previously

**précéder** to precede

**précieux** precious

**précipité** hurried

**précis** exact, definite

**précisément** exactly, precisely

**préférable** better, preferable

**préférer** to prefer

**préluder** to prelude, lead up

**prématuré** premature

**premier** first, original ; **au —** on the second floor

**prendre** to take, assume, take in ; **— à part** to take aside ; **prise à part** considered separately ; **— à tâche** to make it one's business ; **— le change** to be fooled ; **— le pas** to get into line, toe the mark ; **— part** to take part, share ; **— soin** to take care ; **— son parti** to make up one's mind ; **ça ne prend pas** it's no use ; **s'y —** to go about it

**préoccupation** *f.* care, anxiety

**préparer** to get ready, prepare

**près : — de** near, with ; **— de quoi** compared to which ; **à peu —** just about

**présent : à —** now, for the moment

**présenter** to offer, present ; **se —** to occur

**presque** nearly, almost

**pressé** urged

**pressentir** to sound out

**presser contre** to hold firmly against

**prêt** *adj.* ready

**prétendre** to claim, aspire, insist, intend

**prêter** to lend, loan ; **— l'oreille** to listen to ; **se — à** to stoop to

**prêtre** *m.* priest

**preuve** *f.* proof ; **faire — de** to give proof of, show

**prévenance** *f.* kindness, attention

**prévenir** to anticipate, forestall, warn, notify

**prévoir** to predict, foresee ; **à — to** be foreseen

**prier** to pray, beg

**prière** *f.* prayer

**principalement** mainly, mostly

**principe** *m.* rule, principle

**printemps** *m.* springtime

**prisme** *m.* prism

**priver** to deprive ; **se — de** to do without

**prix : à tout —** at any cost

**prochain** *adj.* next, near ; *m.* neighbor

**procéder** to progress, proceed

**prodigue** prodigal

**prodiguer** to lavish

**profaner** to desecrate

**professeur** *m.* teacher, professor

**profit** *m.* advantage, benefit, gain

**profiter de** to take advantage of

**profond** deep, overwhelming

**profondément** profoundly, deeply

**progrès** *m.* advancement, improvement

**proie : en — à** a prey to, a victim of

**projet** *m.* plan, project

**projeter** to plan, project

**prolonger** to prolong

**promenade** *f.* walk

**promener : se —** to go for a walk

**promesse** *f.* promise

**Prométhée** Prometheus

**promettre** to promise ; **se —** to vow

**promptement** quickly, speedily

**promptitude** *f.* readiness, quickness

**propager** to spread, propagate

**propos** *m.* utterance ; **à — de** concerning

**proposer** to suggest ; **se —** to intend

**propre** clean, neat, suitable, own

**proprement** precisely

**protégé(-e)** ward

**protéger** to protect

**protestant** *m.* Protestant

**protestation** *f.* objection, protestation

**protester** to object, disagree, insist

**providentiellement** fortunately, luckily

**provision** *f.* supply, stock

**provoquer** to coax, tease, elicit

**psaume** *m.* psalm

**psychologie** *f.* psychology

**puis** then

**puisque** because, since

**puits** *m.* well

**pulmonaire** pulmonary

**pulsatille** *f.* pasque-flower

**pupitre** *m.* pulpit, school desk

**pur** untouched, uncontaminated

**purpurin** purplish

## Q

**qualité** *f.* quality, value

**quand** when, even if ; **— même** nevertheless

**quant à** as for

**quatrième** fourth

**que** *rel. pron.* that, which, whom ; *conj.* that, than ; **— de** how many

**quelque** some ; **— peu** somewhat ; **quelqu'un** someone

**quelquefois** sometimes, occasionally

**questionner** to question

**qui** *rel. pron.* who, which, that

**quiconque** anybody, whoever

**quinzaine** *f.* about fifteen

**quitter** to leave

**quoi** *rel. and interr. pron.* what ; **— qu'il en soit** whatever may be the case ; **— que ce soit** whatever it may be

**quotidiennement** daily

## R

**rabattre** to lower, bring down ; **en —** to come down a peg

**raccompagner** to accompany, go with

**raccourcir** to shorten

**racontar** *m.* scandal, gossip

**raconter** to tell, relate

**raideur** *f.* stubbornness, rigidity

**raison** *f.* intelligence, reason ; **en — de** because of ; **avoir — de** to be right

**raisonnement** *m.* judgment, reasoning

**raisonner** to reason

**rajeuni** rejuvenated

**ralentir** to slow down

**ramener** to bring back, take back

**rampe** *f.* banister

**ranimer** to restore to consciousness

**rapide** speedy, rapid

**rappeler** to recall, bring back

**rapport** *m.* connection, relation ; **avoir — à** to be related to

**rapporter** to bring back, yield, report

**rapprocher** to draw near

**rare** unusual, rare

**rarement** seldom

**ras** short, cropped, shaved

**raser** to shave

**rassembler** to assemble, gather up ; **se —** to gather

**rasseoir : se —** to sit down again

**rassuré** relieved

**rassurer** to reassure

**ravi** delighted, carried off

**ravir** to enrapture, delight

**ravissement** *m.* rapture

**raviver** to revivify, reanimate

**rayon** *m.* beam, ray

**rayonnant** radiant, beaming

**rayonner** to radiate

**réalité** *f.* reality, actuality

**rebondir** to rebound, get worse

**récemment** recently, lately

**recevoir** to receive, attain, obtain

**récit** account, recital, narration

**réciter** to recount, recite

**réclamer** to demand

**reclos** closed again, sealed

**recoin** *m.* corner

**recommandation** *f.* warning, advice

**recommencer** to begin anew, start again

**réconfort** *m.* consolation, relief

**reconnaissance** *f.* gratitude, appreciation

**reconnaître** to recognize, realize, admit ; **se —** to get one's bearings

**récrimination** *f.* nagging, recrimination

**rectifier** to correct, rectify

**recueillir** to shelter, harbor ; **se —** to meditate

**recul** *m.* withdrawal

**redescendre** to go down again, redescend

**redevenir** to become again

**redire** to repeat, say over and over

**redouter** to dread, fear

**réduire** to overcome ; **se —** to dwindle ; **— une fracture** to set a broken bone

**réel** real, extant

**refermer : se —** to close up

**réfléchir** to reflect, think over

**reflet** *m.* reflection, effect

**réflexion** *f.* observation, reflection

**réfractaire** stubborn, rebellious, unwilling

**refroidir** to cool off, chill

**refus** *m.* refusal

**refuser** to refuse ; **se — à** to be above

**regard** *m.* look, sight, regard, expression

**regarder** to look at, regard, observe

**regimber** to resist, kick against

**réglé** measured out

**régler le compte** to pay the bill

**regret** *m.* sorrow

**regretter** to regret

**régulier** symmetrical, regular

**rejoindre** to follow, join

**réjouir : se —** to be delighted, rejoice

relater to tell, relate

relever to lift up ; se — to get up ; — de to depend on

relief m. embossing, relievo

religieux religious, pious

relire to reread

remarquable unusual, remarkable

remarquer to remark, state, notice

remémorer : se — to recall, remember

remercier to thank

remettre to put off, delay

remonter to come back up

remplacer to replace, substitute

remporter to bring about, win out

rencontre f. meeting ; aller à leur — to go to meet them

rencontrer to encounter ; se — to meet

rendez-vous m. meeting place, appointment

rendre to make, render, give back ; se — à to go to ; se — compte to realize

renoncer to give up, renounce

renoncule f. buttercup

renseigner to inform, instruct

rentré sunken, drawn in

rentrer to return

reparaître to reappear

réparer to repair, mend, fix up

repartie f. retort

repartir to depart ; reply, retort

repas m. meal

reperdre to lose again

répéter to repeat

repleurer to weep again

repli m. recess, bend

répondre to answer, respond

repos m. rest, repose

reposer to rest, remain, be based on

repousser to repulse

répréhensible blameworthy, reprehensible

reprendre to get back, regain, resume, repeat ; — haleine to take breath ; se — to correct oneself

représenter to show, represent, picture ; se — to picture to oneself, imagine

réprimande f. scolding, reprimand

reprise : à plusieurs —s many times, over and over

réprobation f. blame

reproche f. reproach

reprocher to blame, reproach

répugner to dislike, feel repugnance

requis needed, occupied, absorbed (by)

réserver to keep apart, reserve, hold aloof

résigner to renounce ; se — to renounce, resign oneself

résine f. resin

résistance f. resistance, opposition, staying power

résolution f. resolution, decision

résoudre to solve ; se — to resolve, decide

respect m. respect, reverence

respecter to respect, revere

respiration f. breathing

ressaisir : se — to collect oneself, control oneself

ressemblance f. likeness

ressembler to be like, resemble

**ressentiment** *m.* resentment, dislike
**ressortir** to go out again
**ressource** *f.* means, resource
**ressusciter** to resurrect
**reste** *m.* remainder ; au —, du — besides, nevertheless ; de — only too well
**rester** to remain
**restriction** *f.* limitation, restriction
**résultat** *m.* result
**résulter** to result, come from
**retarder** to delay
**retenir** to hold back, retain ; se — to restrain oneself
**réticence** *f.* reservation, reticence
**retirer** to withdraw ; se — to retire, withdraw oneself
**retomber** to rebound, affect ; faire — to divert, vent
**retouche** *f.* addendum, slight alteration
**retour** *m.* return ; être de — to be back
**retourner** to return
**retraite** *f.* retreat ; battre la — to call a halt
**rétrécir** to narrow, circumscribe
**retrouver** to discover, find once more, meet ; se — to be again
**réussir** to succeed, be successful
**rêve** *m.* dream
**réveiller** to awaken
**révéler** to reveal
**revenir** to return ; — à elle to come to herself ; — en arrière to go back
**rêver** to dream

**rêverie** *f.* dreaming
**revirement** *m.* sudden change, about-face
**revoir** to see again, revisit
**révoltant** revolting, disgusting
**revue** *f.* review, journal
**richesse** *f.* wealth, splendor
**ride** *f.* wrinkle
**rideau** *m.* curtain
**rien** nothing
**risque** *m.* hazard, risk
**risquer** to risk, threaten, run the risk
**rive** *f.* shore, bank
**rivière** *f.* stream, river
**rôle** *m.* part, place, use
**romain** Roman
**roman** *m.* novel; illusion
**rompre** to break, interrupt
**rose** *adj.* pink, rose-colored
**rouge** *adj.* red
**rougeur** *f.* blush
**rougir** to blush
**rouler** to roll ; — à terre to fall on the ground
**route** *f.* road, path
**rouvrir** to reopen
**royaume** *m.* kingdom
**rude** *adj.* harsh, rough ; *m.* roughness
**ruisseau** *m.* brook
**ruisseler** to stream
**rythmer** to put rhythm into a movement

## S

**sagesse** *f.* wisdom
**saint** *adj.* holy, saintly
**saisir** to seize, grab ; — au bond to seize upon
**saleté** *f.* filth
**salle** *f.* hall, room

**salon** *m.* living room

**sang** *m.* blood ; **—-froid** coolness

**sanglot** *m.* sob ; **crise de —s** fit of sobbing

**sangloter** to sob, burst into sobs

**sans** without, if it were not for

**sapin** *m.* fir tree

**satiété** *f.* satiety ; **à —** again and again

**satisfaire** to satisfy, convince

**sauvagement** savagely

**sauver** to save, redeem

**Sauveur** *m.* Savior

**savoir** to know, be able (to) ; **n'en — pas plus long que** not to know any more than . . . ; **est-ce précisément pour avoir su** is it just because of having found out ?

**scène** *f.* scene, picture

**séant** fitting

**sec** austere, harsh, dry

**seconder** to assist

**secouer** to shake ; **se —** to shake oneself off

**Seigneur** *m.* Lord

**séjour** *m.* sojourn

**selon** according to

**semaine** *f.* week

**semblable** similar

**semblant : faire — de** to pretend

**sembler** to seem

**sens** *m.* sense, idea, meaning, direction ; **bon —** common sense

**sensation** *f.* feeling, sensation

**sensible** appreciable, sensitive, easily moved ; **être — à** to appreciate

**sensiblement** visibly, considerably

**sentencieux** sententious

**sentiment** *m.* feeling, emotion, sentiment

**sentir** to feel, smell ; **se — à bout** to feel exhausted

**séparateur** *adj.* dividing

**séparer** to separate, disjoin, divide

**séraphique** angelic, seraphic

**sermon** *m.* sermon, discourse

**serré** closely pressed, tight together

**serrer : se —** to press, come closer

**servante** *f.* servant

**servir** to wait on, serve ; **— à** to help, be useful ; **ne — à rien** to be useless ; **que sert de** what is the use of

**seuil** *m.* threshold

**seul** only, alone, unique ; **le — the only one

**seulement** only, even

**sévèrement** severely, strictly

**si** if, whether ; **si . . .** (*adv.*) **. . . que** however

**siècle** *m.* century

**sied** (*from* seoir) : **il —** it is fitting

**siège** *m.* seat, chair

**sien : le —, la sienne** his own, her own ; **faire — to make one's own, assimilate

**signe** *m.* sign, signal ; **faire — de** to motion, indicate

**signification** *f.* meaning

**signifier** to mean, indicate

**silence** *m.* silence, stillness, pause

**silencieux** silent

**simplement** simply, merely

**sinapisme** *m.* mustard plaster

**sincérité** *f.* sincerity

**sinon** if not, otherwise

**sitôt** immediately ; **— que** as soon as

**situer** to place, situate

**soi** itself, oneself ; **en —** in itself

**soif** *f.* thirst, insatiability ; **avoir —** to be thirsty

**soigner** to tend, take care of

**soigneusement** carefully

**soin** *m.* care, treatment ; **avoir — to take care**

**soir** *m.* evening

**soit . . . soit** either . . . or, or . . . or ; **quoi que ce —** whatever it be (*subj. pres. être*)

**soleil** *m.* sun

**solennel** solemn

**solennellement** solemnly

**solennité** *f.* solemnity

**solide** strong, firm

**sombre** dark, gloomy

**sombrer** to collapse, sink

**somme** *f.* number, sum ; **— toute** after all, on the whole

**sommeil** *m.* slumber

**sommeiller** to sleep, slumber

**sommet** *m.* peak, summit

**son** *poss. adj.* her, his ; *m.* sound

**sonde** *f.* sounding-line ; **coup de —** attempt to plumb the depths, tap (*on a wall*)

**songer** to think, recall

**sonner** to ring, echo

**sonorité** *f.* resonance

**sorcier** *adj.* magical, wizardly

**sordide** mean, sordid

**sort** *m.* fate

**sorte** *f.* kind, type ; **de — que** so that

**sortie** *f.* departure, utterance, sally, outburst

**sortir** to leave, go out, take out ; **faire —** to bring out, force out

**sottement** foolishly

**souci** *m.* worry, trial, care ; **avoir — de** to be painstaking about, be conscientious about

**soucier : se — de** to be anxious about

**soucieux** concerned, worried

**soudain** *adj.* sudden ; *adv.* suddenly

**soudainement** suddenly

**souffle** *m.* breath, breathing ; **à bout de —** out of breath

**souffrance** *f.* suffering

**souffrir** to suffer

**souhaiter** to wish, desire

**soûl : tout son —** as much as he wishes

**soulagé** relieved

**soulagement** *m.* relief

**soulever** to lift up, rouse, provoke

**soumettre** to submit ; **se — to yield, give in**

**soumission** *f.* submission, yielding

**soupçonner** to suspect

**soupe** *f.* soup, broth

**souper** *m.* supper ; *verb* to eat supper

**soupirer** to sigh

**souple** supple, graceful

**source** *f.* beginning, source

**sourd** deaf ; **sourd-muet** deaf and dumb

**sourire** *m.* smile ; *verb* to smile

sous under, beneath ; sous-entendre to imply ; sous-entendu *m.* double or hidden meaning, hint

soustraire : se — à to avoid

soutenir to support, insist

soutien *m.* support, helpmate

souvenir *m.* recollection

souvenir : se — to remember, recall ; il m'en souvient I remember

souvent often

spécial unusual, special

spécialiste *m.* specialist

spectacle *m.* spectacle, show

spiritualiser to spiritualize, refine, uplift

splendeur *f.* glory, splendor

statue *f.* statue, monument

stimuler to enliven, stimulate

studieusement studiously, in study

stupeur *f.* surprise, amazement, stupor, coma

stylé trained

subit sudden

subitement suddenly

succès *m.* achievement, success

sueur *f.* sweat

suffire to be enough, suffice

suffisamment sufficiently, well enough

suffisance *f.* sufficiency, abundance

suffisant sufficient

suggérer to suggest

suite *f.* remainder, sequel ; — à just after ; de — continuously, without stopping ; par la — afterwards ; tout de — immediately

suivant *prep.* according to

suivre to follow

sujet *m.* subject ; à ce — in this regard

supérieur higher, superior

supplication *f.* entreaty

supplier to beg, entreat

supportable endurable

supporter to endure, bear, support

supposer to suppose

sur on, upon

sûr certain, positive, infallible

surcroît *m.* excess, overabundance

surdité *f.* deafness

surplus *m. :* au — in addition, moreover

surprenant surprising

surprendre to surprise, astound, overtake, detect

surpris surprised

surraisonnable suprarational, more than reasonable

surtout especially, above all

susceptible capable, susceptible

svelte slender, graceful

sympathie *f.* compassion, sympathy

symphonie *f.* symphony

## T

tâche *f.* task, duty ; prendre à — to make it one's business

tacher to stain, spot

tâcher to seek, try, attempt

tactile tactile, tangible

taire to withhold, be silent about ; se — to keep silent

tandis que while

**tant** so many, so much ; — **que** as far as, as long as ; **si** — **est que** if indeed

**tante** *f.* aunt

**tantôt** just now, in a little while

**tapis** *m.* carpet

**tard** late

**tarder : il me tarde de** I long to, am anxious to

**tâtonnement** *m.* fumbling

**tâtonner** to grope, hesitate

**te** you, thee (*familiar form*)

**tel** such ; **un** — such a ; — **que** such as, just as

**télémétreur** *m.* surveyor (*distance measurer*)

**téméraire** daring, bold

**témoignage** testimonial, token

**tempe** *f.* temple

**tempérament** *m.* character, temperament

**temps** *m.* time, occasion, weather ; **de tout** — always, ever

**tendre** *adj.* tender, soft, gentle

**tendre** *verb* to strain, hold out ; — **à** to strive for

**tendrement** tenderly, lovingly

**ténèbres** *f. pl.* darkness

**ténébreux** dim, shadowy, dark

**tenir** to hold, keep, possess, consider ; — **à** to be anxious to ; **n'y tenant plus** unable to control myself any longer ; **me tient à cœur** is important to me ; **tenez !** look ! ; — **l'orgue** to have charge of the organ ; — **compte de** to take account of

**tentative** *f.* attempt

**ternir** to tarnish, darken

**terrain** *m.* ground, base

**terre** *f.* earth, floor, world ; — **ferme** terra firma, ground ; **à** — to the floor, on the ground

**terrestre** earthly

**terreur** *f.* fear, terror

**tête** *f.* head ; — **à** — by ourselves, alone

**thé** *m.* tea, afternoon tea

**théologie** *f.* theology

**Thésée** Theseus

**tiède** tepid, mild ; **le** — that which is mild

**tiédeur** *f.* mildness

**tien** your, yours ; **les** —**s** your family

**tige** *f.* stem, stalk

**timide** shy, timid

**tintement** *m.* jingling, tinkling

**tiraillement** *m.* anxiety, disagreement, bickering

**tirer** to pull, draw out ; — **à** to draw to ; — **de** to extract, extricate from

**tolérer** to endure, tolerate

**tombée** *f.* descent, coming

**tomber** to fall

**ton** *poss. adj.* your ; *m.* tone, sound, harmony

**torpeur** *f.* torpor

**tort** *m.* wrong ; **avoir** — to be mistaken

**toi** you, thee (*familiar form*)

**tôt** soon, early

**total** entire, total

**touche** *f.* key (*musical instrument*)

**toucher** to touch, concern

**toujours** always, ever

**tour** *m.* trick, turn ; **à mon** — in my turn

**tourbière** *f.* peat bog

**tourmenter** to worry, torment ; **se** — to trouble oneself tournée *f.* circuit, round

tourner to turn

tout all, every, everything, everybody ; altogether, quite ; — **à coup** suddenly ; — **à la fois** all together ; — **à l'heure** just now ; — **de suite** immediately ; — **au moins** at the very least ; — **de même** even so ; — **au loin** far away ; — **le long** all the way ; — **en parlant** while speaking ; — **un mois** a whole month

toutefois however

tracer to trace, outline

traditionaliste *adj.* fundamentalist

trahir to betray

train *m.* course, progress, routine

traînant languid

trait *m.* feature

trajet *m.* trip, journey

tranchant *m.* edge

tranquille quiet, calm

transcrire to transcribe

transfigurer to transfigure

transir to benumb, penetrate

travail *m.* labor, work, effort, task

travailler to work, labor, toil

travers : **à —** through

traverser to cross, experience, go through

trembler to tremble

tremper to soak

très very, exceedingly

trésor *m.* treasure

tresser to entwine

tribune *f.* platform, rostrum

triomphant triumphant

triste sad, gloomy

tristement sadly

tristesse *f.* sadness

trombone *f.* trombone

tromper to deceive, fool

tronc *m.* tree trunk

trop too, too much ; **par —** much too much

trouble *m.* emotion, unrest

troublé confused, perplexed

troubler to worry, upset

troupeau *m.* flock, herd

trouver to find, discover, consider ; **— le moyen** to manage ; **se —** to be

tu you, thou (*familiar form*)

tuer to kill ; **se —** to commit suicide

turbulent lively, turbulent

tuteur *m.* prop, support (*for plants*)

## U

un, une one ; **les uns des autres** one from the other

unique single, only, unique

uniquement solely

unir : **s' —** to become united

univers *m.* world, universe

U.R.S.S. U.S.S.R. (Union of Soviet Socialist Republics)

usage *m.* custom, usage

user to employ, use ; **— de** to use, make use of ; **s'—** to wear out, diminish

## V

vacances *f. pl.* vacation, holiday

vache *f.* cow

vaguement dimly, vaguely

vain useless, vain ; **en —** in vain

**valeur** *f.* value

**valoir** to be worth ; — **à** to bring, cause ; — **mieux** to be better

**variété** *f.* variety, difference

**vaste** vast

**vaut** (*from* **valoir**): **il** — **mieux** it is better to

**véhémence** *f.* impetuosity, anger

**veille** *f.* night before

**veillée** *f.* evening in company

**veiller** to sit up, watch, take care

**venir** to come, arrive ; — **de** to have just ; **voir** — to see it coming

**vent** *m.* wind

**ventouse** *f.* cupping glass

**véritable** real, actual, true

**vérité** *f.* truth

**vermine** *f.* vermin

**vers** *m.* line of poetry

**vers** *prep.* towards

**verser** to pour

**verset** *m.* verse

**vert** green

**vertu** *f.* virtue

**vêtement** *m.* garment

**vêtir** to clothe

**veuve** *f.* widow

**vibrer** to vibrate

**vicier** to corrupt

**vie** *f.* life, existence

**vieille** *f.* old woman

**vieux, vieille** *adj.* old

**vif** eager, lively

**vigilant** careful

**ville** *f.* city, town

**violet** violet, lavender

**violoncelle** *m.* 'cello

**visage** *m.* face

**visite** *f.* visit, guests

**visiter** to visit

**visuel** visual, actual

**vite** *adv.* quickly

**vivant** living

**vivre** to live, exist

**voici** here is, here are, this is

**voilà** there is, there are

**voir** to see ; **y** — to see, be able to see ; — **venir** to see it coming

**voisin** *adj.* nearby, neighboring ; *m.* neighbor

**voiture** *f.* conveyance, carriage

**voix** *f.* voice

**voler** to fly

**volontaire** voluntary, intentional

**volonté** *f.* will, intention

**volontiers** freely, willingly

**vôtre** *poss. pron.* your

**vouloir** to wish, desire ; — **dire** to mean ; **en** — **à** to be angry with ; **que veux-tu ?** what do you expect ? ; *m.* will, wish, desire

**vous** you

**vousoyer** to say **vous** (*instead of* **tu**)

**voyage** *m.* trip, excursion

**vrai** true ; *m.* truth

**vraiment** truly, surely

**vue** *f.* sight

**vulgaire** common, vulgar

## Y

**y** *pers. pron.* to it, of it, at it

**yeux** *see* œil

## Z

**zèle** *m.* zeal